中公文庫

エンデュアランス号漂流記

アーネスト・シャクルトン
木村義昌
谷口善也 訳

中央公論新社

目次

エンデュアランス号漂流記

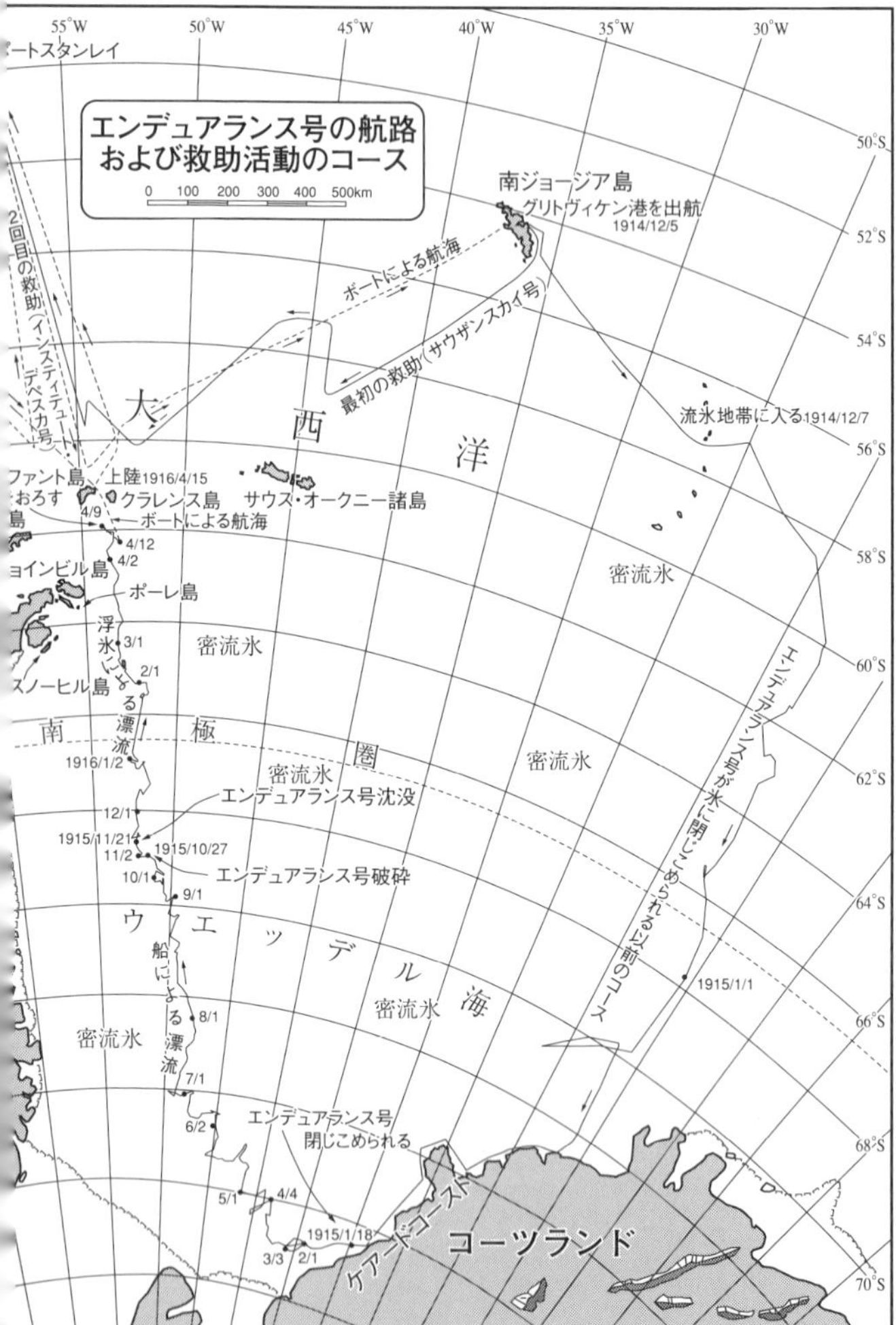

エンデュアランス号の航路
および救助活動のコース
0 100 200 300 400 500km
55°W
50°W
45°W
40°W
35°W
30°W
ートスタンレイ
50°S
52°S
54°S
56°S
58°S
60°S
62°S
64°S
66°S
68°S
70°S
南ジョージア島
グリトヴィケン港を出航
1914/12/5
ボートによる航海
最初の救助（サウザンスカイ号）
2回目の救助（インスティテュートデペスカ号）
流氷地帯に入る1914/12/7
大
西
洋
ファント島
おろす
島
上陸1916/4/15
クラレンス島
サウス・オークニー諸島
4/9
ボートによる航海
4/12
4/2
ョインビル島
ポーレ島
浮氷による漂流
3/1
2/1
スノーヒル島
南
極
圏
1916/1/2
密流氷
エンデュアランス号沈没
12/1
1915/11/21
11/2
1915/10/27
エンデュアランス号破砕
10/1
9/1
ウ
エ
ッ
デ
ル
海
船による漂流
8/1
7/1
6/2
密流氷
エンデュアランス号が氷に閉じこめられる以前のコース
1915/1/1
エンデュアランス号
閉じこめられる
5/1
4/4
1915/1/18
3/3
2/1
ケアードコースト
コーツランド

アムンセンのノルウェー隊が、わずかの日子だけスコットのイギリス探検隊にさきんじて南極点に到着したため、南極大陸の探検旅行にのこされた一大目標は――海から海へと氷の大陸を横断すること――であった。

一九〇九年一月九日、われわれはゴールまで九七マイルたらずのところ（南緯八八度二三分）で苦境におちいり、南極点にイギリス国旗をうちたてるこころみから引返さなければならなかった。このニムロッド号の探検から帰るとすぐ、わたしの心は南極大陸横断へとかたむいていった。わたしはアムンセンかスコットが、かつてわれわれがとった道か、それに並行するコースで極点へ到着するだろうとひそかに信じていたからである。一九一一年十二月十四日、ノルウェー人はついに南極点へ達したが、この成功を知ったわたしは、

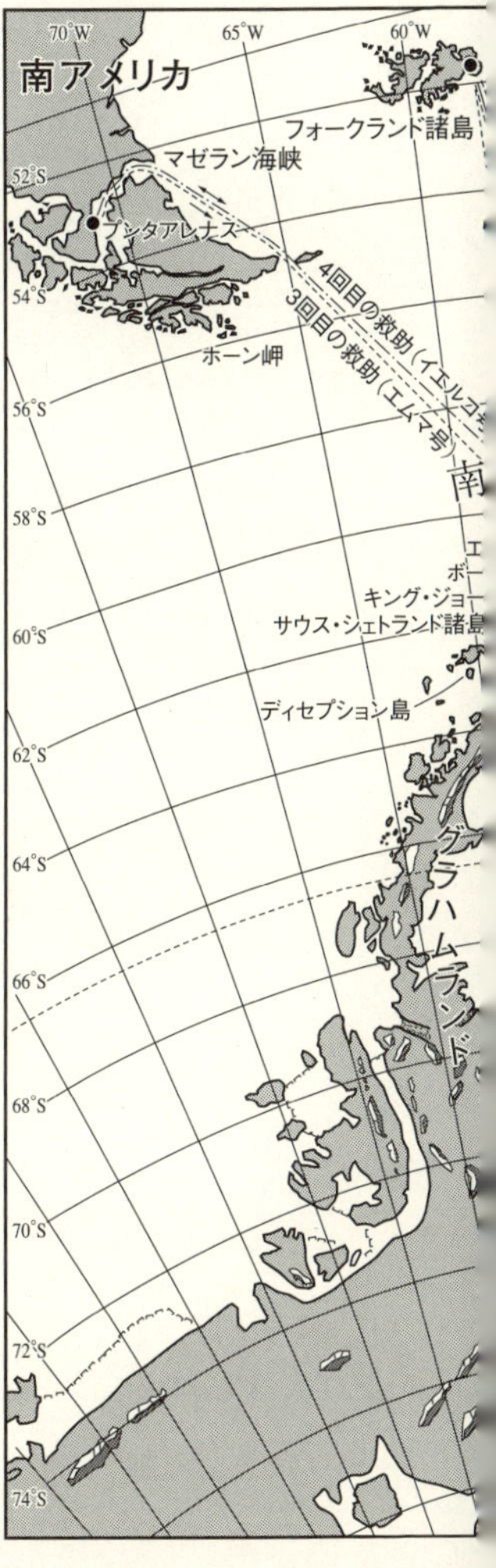

最後にのこされた大旅行を敢行するための準備にとりかかった。――のこされた大陸の初横断は、われわれイギリスの探検隊によって、ぜがひでもなしとげられなければならなかったのである。

だがわれわれはこの目的に失敗した。本書はそのときの探検物語である。目的の達成には失敗したけれど、それらを書きとどめておかなければならないと、わたしは考えたのである。――――原著者の序文から

ウエッデル海のなかへ

わたしは南ジョージア島から、十二月五日（一九一四年）ごろ出発しようと考えていた。そして、最後の準備をととのえるあいだに、越冬基地に予定しているウエッデル海最奥のバーゼル湾にむかう航海計画を、くりかえしくりかえし入念に検討してみた。ウエッデル海の氷の状態はどうなっているだろうか。南ジョージア島にいる捕鯨船の船長たちは、鯨を追いながら日ごろ航海している亜南極の海況について、知っているかぎりのことを親切におしえてくれた。彼らは、南極のこの方面の氷の状態が、これまで知られているようにきわめて厳しいものであることをみとめて、有益な数々の忠告をしてくれたのであった。

われわれは、これから航行しなければならない距離や、針路、また必要な資材などについても、出帆前にくわしくしらべておいた。わたしのこれまでの経験と、たしかな研究によって準備されたソリ旅行用の食糧は、申し分のないすぐれたものであった。訓練された犬たちは、重い荷を積んだソリを曳いて、一日に一五～二〇マイルは行進する予定であった。この速度で走れば、大陸横断旅行は、不測の事故でもないかぎり、百二十日で完了するであろう。

この行進は、南極探検史上最後の大冒険となるはずであった。われわれはみな、その日を熱心に待ちのぞんでいた。しかし、出発地点となるウエッデル海奥のバーゼル湾とわれわれのあいだには、あの魔の氷海が立ちはだかっていた。すべては南極大陸へ上陸できるか否かにかかっていたのである。バーゼル湾は、かつてドイツのフイルヒナー探検隊が根拠地を設営したところである。もしわれわれの隊が、首尾よくこの湾に上陸できたならば、たとえどのように氷雪がきびしくとも、また低温の悪条件になやまされようとも、経験をつんだ一隊がそこで安全に冬をすごせないことはないと、わたしはかたく信じていた。

しかしウエッデル海は、名にしおう氷の難所である。その乗りこえがたい氷の砦は、冷然とわれわれに立ちむかっていた。熟練した航海者の見解によれば、ウエッデル海の状況は、あらゆる点ではなはだかんばしくないものであった。風は弱く、そのため夏季でさえ新生氷が張っている。そのうえ、強風が吹かないために、氷がかたまりとなって集結し、散らないのである。大量の氷が、海流にのって東から海岸ぞいに西へ移動し、それが大きい半円をえがきながら北へ移るのだが、そのとき、ウエッデル海の南西の奥に、浮氷群をぎっしりつめこむのだ。

出帆の日がきた。一九一四年十二月五日、午前八時四十五分、わたしは「抜錨！　出航用意」を命じた。空はどんよりと曇り、ときどき霙《みぞれ》まじりの雪がつめたく吹きつけていた。しかし、エンデュアランス号の乗組員はみな、心もかるく希望に満ちあふれていた。船首の揚錨機にまきあげられていく鎖のガラガラという音が、文明との最後の絆《きずな》を断ちきってしまった。いまや、探検のながい準備のときはおわり、われわれの行手に横たわっているのはただひとつ、未知の冒険だけだった。

わが栄あるエンデュアランス号は、湾口をでると船首を南へ転じ、南西の大きなうねりのなかへ乗りいれていった。午後は霧雨が降っていたが、おそくなって天気はからりと晴れあがった。機走と追風に全帆を展じ、針路を南東へむけ快走しているとき、美しい南ジョージア島の海岸や、雪を頂いた高い山脈が、一行を見送るかのように後方に眺められた。

本船は、十一日の午前八時まで、氷がまばらに散在する水域を機走し、まもなく大浮氷のなかへ突入した。その位置は、南緯五九度四六分、西経一八度二二分であった。石炭を多量に積める船なら、氷をさけて迂廻することもできようが、エンデュアランス号はすくない燃料を節約するため、ことさら廻り道をすることはできなかった。

浮氷はまだゆるく、このへんではたいした困難もなく氷のあいだを進航していった。北の追風をうまく受けるように、前檣帆《フォアセール》を張った。ときたま氷にぶつかって、ぶるんぶるんと船全体がふるえた。一、二度かたい氷盤《パンケーキアイス》にずしんと衝突したが、損傷はなかった。なによりも船尾のプロペラと舵をまもることが大切であった。

1914年12月、ウエッデル海の浮氷帯に入る

十二月十四日には、状況がすこし悪くなった。ガスがかかり、ときたま雪が降った。われわれを威圧するかのように、氷山が姿をあらわした。浮氷はこれまでより厚くなった。古い多年性氷と新生氷がまざりあい、航行速度はおちてきた。この日の早朝、プロペラが数回、かたい氷塊の打撃をうけたが、さいわい損傷はなかった。

その後、船は、十二月二十五日、クリスマスの日の午前六時まで、密な氷のため前進をはばまれ、一進一退をくりかえしていた。それから浮氷はやや開いたので、午前十一時半までいくらか進んだが、まもなく水路はぴったり閉ざされてしまった。その夜の前半は、運よくまた氷が開き、船を乗りいれることができた。正午の観測によると、この二十四時間の航行距離は、われわれが二週間前に浮氷中にはいってからの最高であった。夕方まで氷につかまっていたが、それから二時間は割目の水路をたどり、つぎに密着した浮氷につきあたり、さらに逆風をうけたので、とうとう停船してしまった。

クリスマスの祝いは忘れなかった。真夜中に、甲板上の当直勤務者に火酒《ウオッカ》がふるまわれた。朝食にも、非番でベッドにいた者のために火酒《ウオッカ》がついた。リースは士官室を旗できれいに飾りつけて気分をもりあげ、すこしばかりのクリスマスの贈りものが各自にわたった。なかには、荷物に入れてあった家族からの贈りものをもっている者もいた。それから、すばらしい饗宴が士官室で盛大にひらかれ、一同痛飲かつ飽食して愉快に騒いだ。ご馳走のメニューは、海ガメのスープ、白魚・兎肉のボイル、クリスマスプディング、ミンスパイ、苺と無花果《いちじく》の砂糖漬などで、たくさんのラム酒と黒ビールが供された。夜は全員が「ヘボ歌」の合唱にくわわって騒ぎ、時のうつるのを忘れてすごした。

十二月三十一日の朝、船は氷にきびしくとりかこまれていた。本船の馬力では、浮氷を突破できないので、いちおうエンジンをとめ、氷の状況をしらべてみた。正午ごろ、エンデュアランス号は、東北にのびた二つの巨大な浮氷中にがっしりとはさまれているのがわかった。

一九一五年一月一日。ワースリイがマストの見張から氷状偵察をすませて下りてきた。

船橋《ブリッジ》には、ワイルドとハドソン、それにわたしが当直に立っていた。われわれはたがいに握手をかわして、幸ある新年を祝った。十二月十一日以降、浮氷群中にはいってから、われわれは点々と浮ぶ氷、びっしり密着しあった大浮氷群、あるいは開けた水路中を、四八〇マイルあまり航行してきた。船尾のプロペラはかたい氷片でかなりの打撃をうけ、船体は浮氷につきあてられていた。われわれの小さな船は、氷と闘いつつわずかな隙間をもとめては進んだ。エンデュアランス号は、よく試練に耐え、その勇敢さを示してくれた。

その後、船は比較的氷のすくない海を航行できたが、一月十日午前一時にふたたびかたい氷にであった。東と南の前方に、いくらかゆるんだ浮氷群がひろがり、西方にはウォータースカイ（氷の海で開水面の存在が黒味がかった色となって空に反映する現象）が、氷のない水面の存在を示していた。

われわれはすでに、一九〇四年スコッチア号探検隊の隊長ドクター・ブルースが発見し、コーツランドと命名した大陸岸の近くにいた。彼は露出した岩はみなかったが、雪と氷がしだいに高さをまして奥へつづいている斜面をみて、海へせまる氷壁ちかくの海底が浅くなっている様子から推して、彼らが船上から遠望した氷上の奥は、あきらかに大地であると判断したのであった。

わたしの計画では、南極大陸の横断旅行をはじめる基地出発点として、できるだけ南の位置で接岸し、大陸岸の斜面をのぼる予定であった。全隊員は、ブルース隊長らが発見した海岸をさがしもとめていたが、午後五時、陸地がみえるという報告がわたしにとどいた。

氷を砕いて水路をつくる

そこはゆるやかな雪の傾斜が、およそ三〇〇フィートばかりの高さにもりあがって先のほうにつづいていた。

われわれは、アザラシの肉をできるだけ貯えていった。犬のために生肉が必要であったし、船中の食事にも新しい肉と肝臓はよい変化をあたえてくれた。二月二日蟹《クラブ》食い《イーター》アザラシ四頭とウエッデル・アザラシ三頭をうちとり、一トンあまりの生肉を得ることができた。その日はほとんど一日がかりで、全員が凸凹の氷上を船までアザラシを運んだ。

二月の後半になっても、われわれの位置はたいして変化しなかった。十四日の早朝、わたしは機関室に対して、エンジンをフル回転させるように命令し、一方隊員は、氷鑿《のみ》、氷突《つき》、鋸、ツルハシなどをもって氷上におりていった。われわれは、その日とつぎの日の大半を、難儀しながら前方の水路まで船をだそうとつとめた。隊員は、船首の前方をふさいでいる氷をきりひらき、苦心してわきへ押しのけた。二十四時間にわたる重労働ののち、水路まで三分の一のところまでどうやら船をおしすすめることができた。

二十二日、本船は漂流中の最南点に達した。その位置は南緯七七度、西経三五度で、大陸までほんのわずかの距離のウエッデル海の最奥であった。南極地方の夏の盛りは、もう去りつつあった。夏とはいっても、気温は夜も昼も低く、船のまわりの浮氷はしだいに凍りついた。寒暖計は、二十二日午前二時に氷点下二三度を記録した。こうなっては、エンデュアランス号での冬営はさけられまいと、ひそかに覚悟した。東、南、南西からの軟風も、密集した浮氷を散らしてはくれなかった。アザラシもつぎつぎと姿をけし、鳥たちも飛びさっていった。空は美しく晴れわたり、地平線のかなたに、南極大陸はしずかに横たわっていた。しかし、それはもうわれわれの手のとどかないところにあるのだ。そしてわれわれには、船の避難所もなく、このすごい氷海中で冬をすごさなければならないのを、あわれむように、大陸は冷然と横たわっていた。

二月二十四日、航海中定期的におこなってきた規定の仕事をやめることにした。船はいよいよ冬営場所となった。全員、昼間は各種の任務につき、夜間は犬の世話と氷の動きを見張る者のほかは、夜の当直も中止して普通に寝ることにした。

氷中に虜となる

二十六日、ワースリイは一隊をひきつれ、船の前の氷上に、エスキモーの雪小屋「イグルー」と、犬用の雪小屋をつくった。氷塊を積んで壁をつくり、屋根には板のようになったアザラシの生皮をおおい、その上と隙間に雪をつめてから水をかけると、凍りついてしっかりしたものとなった。犬のために内部に粉雪を敷いたが、犬たちはとくに低温でないかぎり、外でうずくまっているほうを好むようであった。犬をつなぐのは、ぞうさないことであった。鎖を八インチの深さに雪に埋め、まわりに氷片をおしつけてから、水をすこしかければよいのだ。南極の寒冷な空気は、たちまち鎖を凍らせてくれた。病気にかかっていた犬四頭を殺した。解剖してみると、ひどく回虫にやられているのがいた。残念ながら、われわれの薬では効果がなかった。丈夫な犬はソリにつないで訓練した。彼らは熱心に、馭者《ドライバー》の命令どおりに、前進したりとまったりするのだが、その様子は、遠くから眺めていて、思わずふきだしたくなるような光景だった。しかしソリ係は、やみくもに疾走したがる犬には、氷上では十分気をつけなければならないということを学んだようだ。

船には、無電機も装置されていたが、われわれのためにアルゼンチン政府が指令したニューイヤー島からの土曜の夜の時報は、ついに聞えなかった。日曜日の午前二時、ハドソンはポートスタンレイからの毎月の定期の時報を待っていたが、なんにも聞きとれなかった。たぶん、われわれの受信機には、距離が遠すぎたのであろう。

晴天のあと強風が吹いて、いくどか氷原のかなたに幻日があらわれた。氷点下のきびしい寒さがつづき、三月六日にはマイナス二九度までさがった。犬小屋にはぼろくずや麦わらを敷いたが、犬の体温で雪がとけ、それがまた凍りついてカチンカチンになるというふうだった。

探検隊の科学班員は、それぞれいそがしく研究にはげんでいた。気象学者は、風力計、自記気圧計、自記温度計などの測器を船尾に設備して、気象観測を続行していた。地質学者にとっても、まったく研究材料がないわけではなかった。彼は不自由を最善なものにしようと努力していた。ペンギン鳥の胃の中からでてきた小石は、かなり興味あるものであった。海底から曳網で採集した岩片は、氷山について移動してきた南極大陸の地質をしら

乱氷中をゆく犬ソリ

べる手がかりとなった。
船での冬営がさけがたくなったので、船艙にあらたに部屋を建増していたが、三月十日に完成し、隊員はその小部屋を使うことになった。この小部屋はロンドンのレストランの名を借りて「リッツ」とよぶことにし、ここでいっしょに食事をとることにした。朝食が午前九時、昼食が午後一時、お茶の時間は午後四時、夕食は午後六時だった。この月の中旬までに、全員が冬の仕事につき、わたしだけがひとり船尾の自室で寝起きした。
犬の氷上ソリ訓練は、休みなくつづけられていた。命令には、マッシュ＝進め、ギー＝右へ、ハウ＝左へ、ファー＝とまれ、など独特の言葉がつかわれた。これらの言葉は、カナダの犬駆者《ドッグドライバー》が古くから用いているもので、もともとはイギリスからでたものであ

リーダー犬を抱くフランク・ワイルド

る。はじめ犬どもはよく喧嘩をしたが、しまいには自分たちのつながれる位置と任務をよく理解するようになり、日がたつにつれ、人も犬もソリ行がすこぶるうまくなった。ソリの各組《チーム》には先導犬《リーダー》がいて、しりごみしたり命令をきかなかったりする組犬がいると、リーダーにひどくやっつけられるのである。だから、チームの優劣は、リーダー犬の意志と能力とに大いに左右された。

蜃気楼《ミレイジ》がよくあらわれるようになった。三月二十九日、高い氷壁が船をとりまいてあらわれ、われわれをおどろかした。そこには深い海しかないはずだった。中空に、氷山や浮氷が浮びあがって、それが奇妙な形に変化した。それは上のほうへふわふわとゆれ、いろいろな高さで横にながくひろがってから、ちぢんで落ち、そのあと、ただぼんやりとゆれうごく汚点となって、みえかくれした。こんどはその汚点が突然奇妙にゆれて大きくなり、水平線に氷山がひっくりかえった形になり、そのうえに影がかかってみえた。

　このころから太陽は空ひくく沈み、気温も徐々にさがってきて、南極の冷酷な冬の手に、エンデュアランス号がかたくしめつけられているのが、ひしひしと感じられた。四月はじめに吹いた北東からの二度の強風で、氷はいっそうかたくなってしまった。新しい氷も急に厚さをましてきた。ときどき、船から遠くはなれたところに水路が眺められたが、われわれの近くには大きな開氷面はできなかった。四月一日の早朝、ポートスタンレイからの無電信号を、ふたたび聴取しようと試みた。マストの上にさらに二〇フィートの柱をつぎたし、受信力を高めてみたが、なにも聞きとれず、むなしい努力におわってしまった。

　浮氷群は、たえず動いていた。エンデュアランス号が浮氷といっしょに移動するにつれて、クラックのはいった氷山が近づいたり、また遠ざかったりしてみえた。

　われわれは五月一日、太陽とさようならをして、薄明の時期にはいった。その薄明もやがて真冬のまっ暗闇になってしまうことであろう。まだこのころは、陽光がいくらか反映して、正午には水平線がはっきり望まれたが、そのわずかな光も午後二時前には消えてしまった。夕方のすばらしいオーロラは、満月のためにうすくぼかされてしまい、その神秘の光をはっきりとらえることができなかった。月は四月二十七日からのぼっていて、五月六日までは沈まずに空にかかっている。極地方では太陽がみえなくなる時期にはいると、心身ともにいいようのない圧迫感をうける。だがエンデュアランス号の仲間たちは、いつも快活さを失わなかった。そしてみなの集会部屋「リッツ」は、夕方からの音楽会で、楽しくさわがしい舞台となり、外の寒い静寂な氷の世界とは、うってかわった快適な気分につつまれた。

冬の夜長がせまってきた。はたしてわれわれは救われるのだろうか。あるいは最悪の事態に追いこまれるかもしれないのだ。もし探検隊が幸運にめぐまれていたなら、いまごろは大陸沿岸の根拠地でたのしく気楽にすごし、さらにその南方に貯蔵所をもうけ、春から夏にかけて決行される長い横断旅行の計画をたてていたことであろう。われわれはいったいどこに上陸したらよいのだろうか。いまや先のことを簡単に予測できない事態となっている。春には氷もわれるだろう。しかし、本船は遠くウエッデル海の北西のかなたに流されているだろう。エンデュアランス号はもう上陸予定地であったバーゼル湾へは到着できないだろうと、わたしは考えた。ウエッデル海の西方海岸にはなんとか上陸地点をみつけることができるだろう。しかし、つぎの年の陸上旅行にまにあうように、適当な上陸地点へ早目につくことができるだろうか。問題は時間だ。失望のあまり落胆した隊員はだれもいないと、わたしは信じている。みなは毎日喜々として、忙しくやっている。活動を必要とするときがくれば、全力をつくして働くだろう。そのときまで、われわれは待たなければならない。

五月は、さしたることもなくすぎた。探検隊中の器用人であるハーレイは、小さい発電所をつくってくれた。おかげで気象観測所やそのほかいろいろの作業に、ときどき使用する電燈をとりつけることができた。もっとも、この電燈はそう自由にはつかえなかった。というのも、発電機用の燃料油がすくなかったからである。ハーレイはまた、船の両舷につきでた帆桁に、明るい電燈を二つとりつけた。これらの電燈は、暗い冬の夜に「犬の雪小屋」をはっきり照らしだし、暗がりから突然浮氷が割れたりするときには、大いに助けになることだろう。足の下で急に浮氷が割れて漂流するようなとき、照明もなしで五十頭の犬群を船へのせれば、どんな混乱をおこすことになるか、ご想像いただけるだろう。五月二十四日のビクトリア女王誕生記念日は、「リッツ」ルームで国歌をうたって祝いあった。そしてイギリス軍がすみやかに勝利を得るように全員が祈ったのだった（エンデュアランス号がロンドンを出発してまもなく第一次大戦が勃発した）。われわれは戦争がどう進展しているのか少しもわからなかったが、フランスからドイツ軍が退却し、ロシア軍の進撃で連合国側が勝利をおさめることを願っていた。

エンデュアランス号では、いつも戦争が話題となり、ながい漂流のあいだ、地図のうえで各人各様のいろいろな戦闘が論じられ演じられていた。星あかりの空を、五月下旬の日が、非常に高い円をえがきながら、たえずぐるぐるとまわっていた。天候は比較的よく、気温は氷点下の連続だった。五月二十七日、わたしはつぎのように日記に書きいれた。

「天気は快晴、朗々たる月光が、氷山や浮氷、そして本船をつめたく照らしていた。月の光はおどろくほど強く、真夜中でも温帯地方のふつうの曇天と同じくらいに明るい。薄明が八時間つづき、北のほうにきれいな弱々しい黄金色の明るみがみえるのは、たぶん、外気が非常に澄み冷えきっているからだろう。船上には白い霜がすこしばかりおりている。気温は氷点下二八度余。巻雲が二、三あらわれ、本船からはなれた浮氷のあいだから一、二カ所霜煙《フロストスモーク》がたちのぼっているのがみられたが、船近くの割目と水路は、ふたたび凍結したらしい」

二十二日、われわれは南半球の冬至を祝った。その日は六時間ぐらい薄明がつづき、月光は正午になると十分明るくなった。北の水平線のあたりには、美しいピンクの雲もあらわれて明るかった。この日、水深を測ってみると二六二尋《ひろ》の深度があり、海底の地質は泥であった。視界は西方のそうとう遠くまでひろがっていたのだが、マストの先端高くからでも陸地は全然みえなかった。必要な仕事をのぞいて、全員休息日にした。そして料理番が腕をふるったすばらしい昼食ののち、「リッツ」ルームにあつまって、しゃべったり歌をうたったり、祝盃をあげて陽気にすごした。われわれは真夜中に夕食をとったのち、「イギリス国歌」を合唱し、太陽がもどってくる季節には、探検隊の活動が成功するよう、たがいに祈りあった。エンデュアランス号はこのころ、南南西の疾風をうけて、おどろくほどの速さで氷とともに北へと流されていた。冬のあいだにわたしが感じたウエッデル海の一般的特色は、やむことを知らぬロス海の冬の猛吹雪《ブリザード》とくらべて、強風がわりあい少な

船内の生物研究室で顕微鏡を覗くクラーク隊員

チェスに興ずる隊員

いということである。

エンデュアランス号がイギリス本国のドックから南極への航海についてからちょうど一年後の八月一日の日曜日に、われわれの浮氷が突如として割れはじめた。位置は南緯七二度二六分、西経四八度一〇分であった。朝から、大雪をともなう南西からの強風がかなり吹いていた。午前八時に、まずいくらか氷が動きだし、つぎに左舷船首さきの四〇ヤードのところで浮氷に割目がはいったのだった。それから二時間ののち、氷は眼にみえない圧力をうけて、われわれのまわりでつぎつぎに割れはじめた。そして船は右舷へ一〇度以上も傾いてしまった。

八月の残りの日々は、比較的なにごともなくすぎていった。船の周囲の氷はふたたびかたく凍り、われわれの近辺ではほとんど動かなかった。犬の訓練は、子犬もまじえててきぱきとすすめられてゆき、われわれは氷とともにあいかわらず北西へと漂流しつづけた。もちろん水路のひらいた海面にはまったくめぐまれず、悪天候にはばまれて、いくどか本船の備品類もこわれた。水深測定で海の深さが非常にましていたことから、われわれはウエッデル海の外側を形づくっている海底隆起を通りこしたことがわかった。八月十日に測深した一七〇〇尋の深さは、ドイツのフイルヒナー探検隊が四年前に本船の位置より一三〇マイル東方で計測した一九二四尋と、ほぼ同じ深度を示していた。

八月二十六日の夜、氷の強い圧力をうけて船体のどこかでぎぎーっときしむ音がすると、船にそった氷が割れだした。ただちに全員の非常呼集があり、各自は所定の部署につき待機した。だが、やっかいなことは何もおこらなかった。しかし三十一日の夜おそく、船首部と左側の氷がまたきしみはじめ、危険な状態になってきた。

各部の船材が薄気味わるい音をだしてきしみだすかと思うと、つぎはうなりをともなって震動しだした。船首や船尾のほうで、船材がおそろしい音をたててはじけ、いやがうえにも緊迫感をましていくのだった。翌日も一日中すさまじい圧力で氷は船を圧迫しつづけたので、船の梁と甲板の厚板は、ときどきひどく曲げられた。

浮氷群は、風と海流のためにたがいに重々しくぶつかりあった。船はしばらくはその圧力に耐えているようであったが、いまや好ましくない位置にいることがはっきりとわかった。とはいえ、本船は頑として氷圧に抵抗した。船底に海水が浸入したあとはなかった。もっとも、この六カ月間にポンプで海水をくみだすことはなかった。やがて密集した浮氷群は、もとどおりに四方にひろがっていった。わたしが天測や図上で計算したところによると、われわれは西方にあるもっとも近い南極の陸岸から、二五〇マイルは確実にはなれており、いちばん近い文明の前哨地である南ジョージア島からは、五〇〇マイルもへだたっていた。いまやウエッデル海の氷のただなかに、孤立無援で凍結されているのであった。

エンデュアランス号を失う

九月の末まで、われわれは氷にそれほどひどくは苦しめられなかった。九月いっぱい、浮氷はほとんど移動しなかったのである。ただ静かにひろがる氷原をこえて氷の圧力のひしめきが、われわれのほうへ伝わってくるのがはっきりと感じとれた。それはわれわれを威嚇し、あるいは警告しているようでもあった。マストの見張所《クロウネスト》からは、氷丘《ハンモッキー》を眺めることができた。これは海氷が圧力でもりあがり、積みかさなってできたものである。九月の末になると、氷圧がおしよせてくる音はいっそう大きくなり、急速に船に近づいてくるように思われた。おそるべき強大な圧力の作用で、船近くの固い氷原が、じわじわと収縮してきた。九月三十日は、記憶にのこる悪日となった。その日はまず幸先よくはじまった。なぜなら、朝のうち、われわれは二羽のペンギンと五頭のアザラシをしとめたからだ。ほかにアザラシ三頭をみつけた。しかし、夜半に船にそってできていた割目が、午後三時ごろ急速にひらきはじめた。船はこのとき左舷前方におそろしい圧力をうけ、さらに前部索具の下に、これまでにないもっとも強い一撃をうけた。それは、これまでになくはげしい氷圧であった。甲板はガタガタ音をたて、板はとびあがり、太い梁さえひんまがった。頑丈な支柱が、弓なりにまがって震動した。わたしは緊急の場合にそなえて、全員に「退避用意」の命令をくだした。しかし船はけなげにも、このはげしい試練に耐えた。そして、船の抵抗力がその限度に達したと思われたとき、われわれを押えつけていた巨大な浮氷が割れたので、どうやら危機を脱したのであった。

エンデュアランス号の堅牢さは、たしかに賞讃にあたいするものであった。おそらく、これほど堅固ですぐれた船をこしらえた船大工は、これまでなかったにちがいない。だが、本船はこんな状態のなかで、氷の威力に対しどれほど抵抗できるだろうか。われわれは、世界の険悪な海のなかでももっとも険悪な海であるウエッデル海西方の、氷のつまった地点へと流されていた。そこでは、風と海流の強い力で流されてきた浮氷が、西方海岸にぶちあたった。浮氷には、巨大な波のようにうねる氷丘と、氷圧ででこぼこになった氷原があり、それらが海氷の墓場のようにただよっているのである。

船が通りぬけるほど十分に氷がひらいてくれるか、あるいはわれわれがもっとも危険な海域に流されてしまう前に脱出できるなんらかの機会が、はたしてあるかどうか。沈黙する氷山と、ひしめきあう浮氷にびっしりとかこまれて、われわれは不安に沈んだまま十月をむかえた。

文明生活にあっては、とてもがまんできないような低温のなかで、われわれは長いあいだすごしてきたが、こんどは、あたたかさ――といっても、慣れない人には身ぶるいするような寒さであるが――に悩まされたのだった。雪どけは、南極地方の冬のおわりを告げていた。われわれは、上甲板の船室をふたたび使用する準備をはじめた。わたし自身も十一日、船尾ちかくの寝室からそちらへ移り、船が氷から脱けだしたら、ただちに船を動かせるように準備をととのえた。氷はだいぶとけていたが、二〇マイルのあいだ、ひと握りの陸地も見あたらなかった。

十月十七日の日曜日、浮氷群はこれまでよりも船に近づいてきた。午後、前檣帆と中檣帆をはった。北東からの微風が吹いてきたので、水路から船を前進させようと試みた。しかし船は動かなかった。その日おそく、また圧力が加わりだした。エンデュアランス号をはさむ二つの浮氷が猛烈な勢いで密着しだし、船はなんどかおそるべき圧力でしめつけられた。船腹のいちばん弱い部分の機関室は、バリバリとうめき声をあげ、ガッシン、ガッシンと氷に打ちたたかれる音がきこえた。床の鉄板は、すごい力でパンパンはねかえり、ガラガラカーンという大音響がつづいた。

一方、浮氷はぶつかりあってそれぞれのつきでた尖端をけずりおとしながら、動いていた。船は一時間ばかりのあいだ氷圧によく耐えていたが、急にすごい勢いで音をたてて上にもちあがったときには、わたしはひとまずほっとした。船は前で一〇インチ、後で三フ

氷塊と闘うエンデュアランス号

イート四インチあまり浮きあがり、同時に左舷へ六度かたむいたのだった。われわれは氷の上にのっていたのだ。一難は去った。

つぎの氷の攻撃は、十月十八日の午後にはじまった。左右の浮氷がそばで動きだして、船に大きな圧力をかけてきたのだ。急に左舷の浮氷に亀裂がはいって、左舷船底に巨大な氷塊がぶちあたった。すると、たちまち船は左舷へ三〇度もかたむき、右舷船底は反対側の浮氷にささえられてとまった。右舷のボートは、浮氷の上にほとんどのっかっていた。船の中央の犬小屋はこわれ、下方へすべっていって別の犬小屋にあたって砕け、おどろいた犬たちの怒号と吠声とで、あたりは収拾不能の大混乱におちいった。甲板や船内で固定していないものは、すべて下にころげおち、エンデュアランス号は一瞬にしてそのまま横倒しになるかと思われた。わたしはすぐ命令をだして、火の気のあるものをすべて消させた。犬のためには足場をつくってやり、隊員も渡って歩けるように、甲板に桟をうちつけさせた。それから乗員たちは、動くおそれのあるものを全部しばりつけた。もし船がこれ以上かたむけば、下方側のボートをはずして氷上におろさねばならなかっただろう。ワースリイがその警戒にあたり、ハーレイは氷上におりて、ぶざまにかたむいた船の写真をとった。

その日の士官室《サロン》での夕食は、奇妙な光景だった。床にすわる者は桟に足をかけ、皿を膝の上にのっけなければならなかった。午後八時に浮氷がはなれたので、まもなくエンデュアランス号はふたたび水平にちかい状態に立ちなおった。

あたらしい氷丘ができていた。わたしは、さらに強暴な力が刻一刻船のほうへ近づいていると思った。船はときどきゆがんだり、傾いたりしていた。船材がきしんであげる不気味なうめき声、梁か厚板がはじけるときにだすピストルをうつような音、苦しみを訴える本船の虫の息のようなささやきが、たえず船内のあちこちから伝わってきた。船は、浸水がはげしくなっていた。午後九時、わたしは夜中の緊急事態にそなえて、ボート、野営道具、食糧、ソリなどを氷上におろし、それらを船からすこし離れた平坦な氷に運ぶよう命じておいた。

沈没寸前、氷中のエンデュアランス号

そして、運命の日——十月二十七日、水曜日がやってきた。そこは南緯六九度五分、西経五一度三〇分の位置であった。気温は氷点下二二・五度で、南の微風が吹き、晴れわたった空には、われわれの苦しみをやわらげるかのように、陽がかがやいていた。たえまない不安と緊張のときはおわったのだ。ときには希望にもえたり、見通しのくらい前途に絶望したりしたが、それもおわったのだ。エンデュアランス号の最期の時がきたのだった。われわれは、万感の思いをいだいて、破砕する船をみすてねばならなかった。しかし、全員元気で健康であった。これからさきの仕事のための物資も装備もあった。やるべきことは、全探検隊員といっしょに安全な陸地に到達することである。

わたしは複雑な自分の胸中を、うまく書きしるすことができない。航海者にとって、船は浮んだ家以上のなにものかである。わたしはエンデュアランス号に、野心と希望と欲望をかけてきたのだった。ところが、船は彼女の人生がこれからはじまるというときに、うめき声をあげ、船材を砕かれ、傷口をあけながら、いまその生命の感覚を徐々に失おうとしているのだ。船はすでに、使いものにならないほど粉砕された。われわれは、氷中にとざされてから二百八十一日のあいだに、北西方へ五七〇マイルあまり流されたのちに、とうとう船を放棄しなければならなくなった。船が氷につかまえられ閉ざされた地点から、浮氷の触手にかかり致命傷をうけて横たわっているここまでの直線距離は、五七三マイルあまりである。あらゆる観測点をつなぎあわせると、漂流距離は、地図上で合計一一八六マイルあまりに達している。したがってわれわれが実際に流された距離は、たぶん一五〇〇マイル以上になるだろう。

われわれはいま、食糧と小屋がありそうな、いちばん近くのポーレ島まで三四六マイルの位置にいた。その小屋は、一九〇二年、スウェーデン探検隊の船が難破したときたてたもので、そこにはアルゼンチンの救助船が残していった物資がいっぱいあるはずである。わたしは、それらの物資のことをよく知っていた。かつてオットー・ノルデンショルトのスウェーデン隊の救援準備をしたとき、わたしはアルゼンチン政府に依頼されて、その物資をロンドンで買いととのえたことがあったからである。われわれの西にあるもっとも近いグラハムランド西岸の氷堤《アイスバリヤ》までの距離は、一八〇マイル程度であるが、そこから北方にあるポーレ島まではなお三六〇マイルほどもあり、しかも氷堤上では、生活を維持することもできないだろう。なぜならば、全行程に十分なだけの食糧を、ここから運んでいくことはできないからだ。目方があまりにも重すぎるのだ。

この日の朝は、われわれが本船でおくる最後の日であった。空は快晴で、南南東ないし南南西の微風が吹いていた。マストの見張所から眺めても、陸地のある気配はなかった。

氷圧はじわじわ大きくなり、休みなく船体をしめつけた。氷の攻撃は、午後四時に絶頂に達した。船は重圧のために船尾がもちあがり、船尾の下を横ぎっていく氷は、舵の保護材と船尾防舷設備をこわし、舵を砕いてしまった。その後、われわれが氷の動きを警戒しているうち、氷がゆるんで、エンデュアランス号はやや沈下した。甲板は割れてはねあがり、船底には海水が流れこんだようだった。また圧力が増加しはじめたので、午後五時、全員氷上におりるよう命じた。ぎりぎりと回転しながらおしつけてくる浮氷は、とうとう好きなように船をなぶりだした。甲板が足の下で裂け、強固な大梁がひんまがり、大砲をうつような音をたててはじけ折れるのを聞くのは、まったくいやなものだった。あらゆる穴から流れこむ海水は、もはやポンプでは手におえなかった。そして、海水が浸入してボイラーが爆発する惨事をさけるため、わたしはついに火を消して蒸気をとめる命令をくだ

氷圧に破砕したエンデュアランス号

さなければならなかった。

緊急の場合に船をすてる計画は、もうすでにできていた。人と犬は浮氷上におりて、わりに安全な、割れていない浮氷へゆく道をこしらえておいた。船を去るとき、氷の圧迫でぶるぶるふるえる甲板に立ちながら、機関室の天窓をのぞきこむと、機関《エンジン》は支柱と台座がはずれて、横すべりしていた。わたしが下を見おろして、あたりを眺めたときの、その惨澹たる破壊からうけた印象は、あまりにもひどく、説明することもできないほどであった。浮氷は、その背後で動く数百万トンの浮氷群の力をうけて、マッチ箱をつぶすよりもわけなく、船をこなごなにしていたのであった。

必需品は、船から一〇〇ヤード近くはなれた浮氷上にうつし、そこに野営用のテントをつくりかけた。午後七時ごろ、ようやくのことでテントを張っているとき、この氷も圧力をうけて割れだし、すぐ足の下で砕けはじめた。テントをさらに船首から二〇〇ヤードばかり先の、いっそう大きな浮氷へうつした。エンデュアランス号からおろしたボートや物資や野営道具などを、動く氷稜をこえて迅速に運ばなければならなかった。氷はごくゆるやかに動いていたので、短い道のりではさほど障害にならなかったが、氷丘の重さで浮氷は両側がへこみ、そこに水たまりができていた。ツルハシとシャベルをたずさえた先発隊は、われわれが全部の荷物を安全な氷へうつすまえに、氷と雪をならして道をつくらなければならなかった。

午後八時までに、テントはふたたび張りなおされた。われわれは、三角《ポール》テント二張と、円型テント三張をもっていた。わたしは、ハドソン、ハーレイ、そしてジェームズらといっしょに、小型の第一三角テントにはいった。ワイルドは、ウォーデイとマクネイシュとマクイロイとともに、小型の円型テントに住まった。これらの円型テントは、持運びや組立にしごく便利だった。

八名の先発隊は、大型の第三円型テントを占めることになった。クリーンは、ハッシイ、マーストン、チーサムらと第四円型テントにはいった。またワースリイは、グリーンストリート、リース、クラーク、カー、リケンソン、マクリン、ブラックバロウらともう一張の第五三角テントにはいった。

その夜は気温が氷点下二六度余にくだり、住みなれた船室とうってかわり、居心地がわるく、たいていの者は寒さにふるえ、かじかみながらすごした。テントを張りおわったのち、わたしは全隊員をあつめて、事態を簡単に、できるだけありのままに説明した。

わたしは彼らに、西方のグラハムランド沿いにある氷堤までの距離と、そのずっと北方に位置するポーレ島までの距離について話し、氷上を横ぎってぜひポーレ島のほうへゆきたいとのべた。彼らが、この困難きわまる事態のもとで示した沈着さとすばらしい士気に、わたしは心から感謝した。そして、わたしを信頼しベストをつくしてくれるなら、最後は全隊員が安全な場所へいくことに成功するだろうと告げた。それから、料理係がアザラシ脂を燃料にしたストーブでこしらえた夕食をとり、見張の当直をたてたのち、みなは氷上での眠りについた。わたし自身は、寝袋のなかにただ身を横たえているだけで、ほとんど眠れなかった。

船の難破と放棄は、まったく計算外の打撃とはいえなかった。わたしの脳中には、幾月かのあいだ、そうした惨事のことがぼんやりとえがかれ、予想されていたのだった。そうして、いくども、どんな事態がおきてもそれに対処できる方法を練ってきたのだった。しかし、わたしが暗がりのなかをあちこち歩きながら思いうかべた考えは、とくにすばらしいものでも、また名案でもなかった。第一にせねばならないことは、探検隊の安全を期することであった。そのためには、わたしは全身全霊をかたむけて、わたしの過去二回の南極の体験でえたあらゆる知恵をしぼりださねばならないのだ。これは長い困難な仕事になるだろう。しかし、もしわれわれが生命の損失なく、これをやりとげようとすれば、秩序だった士気、それに整然たる計画をたてる必要があった。人は、ある事態がおこったとき、古い目標をすてて、新しい目的にむかって全精力をかたむけて邁進しなければならない。

真夜中に、わたしは氷上をゆっくり歩きながら、浮氷のきしみあいで、断末魔のあがきをつづけるエンデュアランス号のうめき声と破壊音をきいていた。そのとき突然、テントの真下でパカッと浮氷が割れたのに気づいた。すぐ警笛を吹くと、みながあわててとびだしてきた。そして、遠のいていく小さい氷上にのっているテントと物資を、急いで大きな氷のほうへ移した。

寒くて、陰鬱な朝がやってきた。みなは不安な最初の夜を浮氷上でおくったので、疲れていた。明けがた、わたしはワイルドとハーレイといっしょに、朝のミルクをあたためるために使う燃料油をとりに、エンデュアランス号のほうへもどっていった。船はめちゃめちゃにこわれ、いたましい姿になっていた。夜中に、船首の斜檣《バウスピリット》とジブ帆桁が折れ、それが船と直角にたれさがり、船はひしめく浮氷のなかで震動するたびに、鎖や索具や斜檣のひかえ綱などをひきずり、まことにあわれな姿にかわっていた。氷は前甲板にのしかかり、すでに船の前部はずっと傾いていた。われわれはかなり難儀しながら燃料油二罐を船内からもちだしたが、あとは朝食後にさがすことにした。燃料罐をたずさえて、割目をとびこえ、まもなくキャンプに帰った。そして救命ボートにあった三角形の水槽を利用して、炊事場をこしらえた。

炊事係は午前八時に、ビスケットとシチューの朝食を用意してくれた。ついで、わたしはまた船へいって、破船の状態をくわしくしらべた。浮氷と氷塊にやられなかった船室は、六室だけだった。右舷の船室は、いずれもこわれていた。船の後部は、まるで手風琴のような恰好におしつぶされていた。前部甲板の水夫室と「リッツ」と名づけていた部屋は氷でうずまり、士官室は四分の三が氷でいっぱいだった。水夫室の右舷側は無残にもぎとられ、台座からはずれた機関は炊事室へつきでていた。前甲板においた燃料油槽は、浮氷のために壁をつきやぶり、炊事室のなかに移動していて、その前に大きい額に入れた写真がころがりこんできていた。不思議なことに、この写真のガラスは割れていないのに、そのすぐ近くの、ボートをつるしていた固い鉄のハンガーは、ちょうど顛覆した汽車の鉄パイプのようにひんまがっていた。エンデュアランス号は、巨大な魔氷の手によって無残に破砕されてしまったのだ。

どんより曇った空の下を、わたしはキャンプへひきかえし、われわれの位置を計算測定してみた。キャンプを設営した浮氷はまだ圧力をうけるおそれがあったので、右舷前方二〇〇ヤードばかり先の、もっと大きい頑丈な浮氷へうつったほうが安全だと、わたしは思った。この露営地を、貯蔵《ダンプ》キャンプとよぶことにした。物資をそこに貯えていたからである。われわれは必需品以外は運べなかったため、装備品を思いきり選りわけた。各自にバーバリの新しい防水着と下着一揃い、新品の靴下などを分配し、テントを急いで大きな浮氷へうつした。そしてわたしは、浮氷群を横ぎってポーレ島かスノーヒル島へむかう長い旅行のための準備にとりかかった。

十月二十九日、われわれのまわりでは、氷がひしめきあっていたが、静かな夜をおくった。キャンプをうつしたこんどの浮氷は大きかったので、氷の打撃によく耐えた。微風が北西ないし北北西から吹き、天気は晴れている。われわれ二十八名のほかに、五匹の子犬をくわえて四十九頭の犬がいた。

今朝は全員が、用具をととのえたり、ボートをのせて運ぶソリをつくったり、いそがしく立ちはたらいた。主力のモーター・ソリは、大工係がすこし修理すると、いちばん大きなボートをみごとに牽引した。つぎのボート用には、普通のソリを四台つなぎあわせたが、この工夫はあまり信用のおけるものではなかった。実際、それはボートの重さのため、すぐこわれてしまった。船はまだ浮んでいた。そして浮氷の刃は船をつきさし、もちあげていた。前部水夫室はすでに海中に沈み、甲板は氷にしめつけられて破裂し、多数の難破物の破片がちらばっていたが、それらの上には、イギリス海軍予備艦旗が、いまなおへんぽんとウエッデル海のつめたい風にひるがえっていた。

もはやわれわれは、いつまでも残骸となった船のかたわらにとどまってはいられなかった。こんどは急に氷の圧力が加わり、われわれの浮氷は動く氷からの影響をまともにうけるのだった。危険な海氷をのがれ、安全な陸を踏むまで、全力をかたむけて、不屈の意志をもって進まなければならないのだ。

十月三十一日午後三時、十分腹ごしらえをして、ダンプ・キャンプを出発した。キャンプの跡には破壊物が山となって残った。個人装備は一人あたり二ポンドを絶対こえぬよう命令をだした。必需品以外は、もっていかないことにした。余分な重量で行進をさまたげられてはならないからだ。これは長い旅になるだろうし、また荒涼とした岸辺での、設備の手うすな露営地で、冬をむかえることになるかもしれなかったのだ。こんなときには、なにか心をとらえるもの、はるかな故郷や、故郷の人たちの思い出となる品物が必要である。そこで、われわれは文明社会でなければ用のない金貨などはすてて、家族の写真をたずさえることにした。わたしは、アレキサンドラ王妃が探検隊に贈られた、王妃自筆のサインがある聖書の見返しページと、つぎの詩のあるヨブ記のすばらしいページをはがした。

氷はだれの腹より生れたのか、
天の霜はだれが産みつくりしか。
海は宝石におおいかくされしごとく、
その面は凍りつく。

アレキサンドラ王妃が探検隊に贈られたもう一冊の聖書のほうは、船がひどい打撃をうけたときに、船艙の下のほうへ落ちてしまった。服入れのケースは一度すてたのだが、革製だったようなので、あとで長靴をつくることができると思い、もってきた。ところが、「丈夫な革」と商標マークのついているケースが、実はほとんど厚いボール紙でできているのには失望してしまった。この製作者はそのとき、欺瞞は犯罪ではないということをわれわれに説明するのに、ずいぶん苦労したことであろう。

ウォーデイ、ハッシイ、ハドソン、わたしの四名からなるソリ先発隊は、ツルハシとシャベルをたずさえ、重いボートを運搬するソリが氷丘地帯を通りぬける道をつくるために出発した。各種の付属品のついたボート、それにこれを積んでいるソリの重量を入れると、それぞれ一トン以上の重量であった。カッターは捕鯨ボートより小型であるが、ずっと頑丈なものである。

捕鯨ボートはトラクター前部のソリにのせ、中央と後部にソリをつけた。これらのソリは、前後に横木をわたし、オールを短く切ったもので補強した。カッターは帆を張ったソリにのせた。軽さを重要視する犬ゾリ用のソリには弱点があった。これにボートやその他の重荷をつみ、えんえん三〇〇マイル余もつづく氷の悪路をわたるとすれば、おそらくソリはこわれてしまうだろう。先発のソリが出発してから、七頭の犬ゾリがでていった。彼らは半マイルほど前進してから、その他のソリを曳きに空身でひきかえしてきた。ワースリイは二隻のボートをうけもち、十五名の隊員といっしょに渾身の力をふりしぼって曳いた。ボートは交代で曳いたが、それは人や犬にとって、たいへんな重労働であった。しかし、荷物の一部を前方に運べば、その帰り道はかなり休むことができた。

われわれは、海の生物中もっとも獰猛といわれるサカマタクジラ《キラー・ホエール》の気味わるい鼻柱が、水面からつきでている氷の割目を二カ所わたり、午後五時までに、北北西へ一マイルほど進んだ。行手に横たわる氷の状態は、ひどいものであった。それというのも、朝から氷の圧力が増大し、浮氷はいたるところで動いていて、こわれていたからだ。そこでわたしは、平らな氷上をみつけ、夜のテントを張るよう命じたが、運わるく、その氷はかたまったばかりで、塩気が強くもろかった。一方、古い浮氷は、起伏がはげしく平らでないうえに、雪がふかく積っていたので、そのままでは野営地にはむかなかった。われわれは直線距離でわずか一マイルほど移動したのだが、荷物運びのリレーのためにすくなくとも二マイルあまりはよけいに歩いていたので、かれこれ六マイル近くは行進していたことになる。ある犬ゾリ組は、すくなくとも一〇マイルは行進した。午後六時から午前七時までのあいだ、各テントごとに一人一時間ずつの夜間当直をきめた。

その夜は、夜どおし雪がはげしく降った。しかし、気温はわりにあたたかく、氷点下三・八度にものぼったので、テント内のシートがぬれてしまった。このころ、われわれは氷点下一八度程度の気温が望ましいと思っていた。なぜなら、このくらいの気温であれば、雪の表面はかたくなっていて雪解けでぬれることもないし、道具が雪に埋まるおそれもないからだ。

兇暴なサカマタクジラの群は、半身を浮氷のふちにのしあげて、夜どおし水しぶきをあげて騒いでいた。午前二時には、テントからほんの二〇フィートのところで、氷に割目があらわれた。われわれの下の氷は、もしサカマタクジラがそうしようと思えば、そのすごい頭でらくに破れるほど薄いものであったが、近くに適当なキャンプ用の氷もなかったため、そのまま危険をおかさねばならなかった。

朝になると、雪はいちだんとはげしく降ってきたので、あたりはそれこそ一寸先もみえないほどになった。テントは移動しないことにきめた。こなごなにこわれた浮氷上では道もなかろうし、また危険をおかしてボートをだしても、悲劇におわるのは目にみえている。リケンソンとワースリイが、燃料にする材木と獣脂をとりに、ダンプ・キャンプへもどっていった。それから一時間後に、各自は、海員用ビスケット一枚とシチューを食べた。午前十時には、ハーレイとハドソンが、追加の犬用ペミカンをとってくるために、旧キャンプ地へむかった。われわれの近くに、アザラシがみつからなかったからだ。やがて、天気もからっとしてきたので、ワースリイとわたしは、行進できる道をさがすために西方へでかけていった。

もしわれわれの近くで水路がひらければ、陸地のありそうな北西へボートを漕いでいけるかもしれないと考えた。そこでわたしは、もっとしっかりした浮氷をみつけて、氷の虜からのがれる第二の試みが可能になるまで、その氷にテントを張ることにした。これを「オーシャン・キャンプ」と名づけた。二隻のボートを動かすことは、もっとも厄介なことであった。氷の表面はまったくおそるべき状態であった。われわれがこれまでに遭遇したようななまやさしいものではなかった。はげしい凹凸にくわえ、ときには腰までもつかる深い雪がつもっていた。

わたしはボートの旅にぜひ必要な、貴重なソリ旅行用の定量食は、なるべくたくさん残すことにし、浮氷での食事にはほとんどアザラシとペンギンを食べることにきめた。あるかぎりの衣服と煙草をあつめてくるため、一隊を船近くのダンプ・キャンプへ送りかえした。ダンプ・キャンプに残しておいた多くの物資は、氷がとけて表面が沈んだところへ、この数日内に雪がひどく降りつもったため、その場所がどこにあるのか全然わからなくなっていた。

これから生活をするこの浮んだ氷塊は、最初は一マイル平方くらいの広さだったが、だんだん小さく割れていった。そしてそこが、その後二カ月ほどのあいだ、われわれの住家となったのである。

キャンプに残る隊員は、「オーシャン・キャンプ」での生活をできるだけ快適なものにするために、この二カ月間に、しばしば船の近くまでもどっては、役に立ちそうな衣類や食糧や個人的な品物を、あれこれもちかえったのである。これらの物資は、流氷上を安全な場所をもとめて突進した際、事態を楽観していたので、数マイル背後に残してきたものであった。

毎朝、ワイルド指揮の犬ゾリ隊が難破の場所へむかい、なるべく多くの物資を救いだすように全力をそそいだ。この作業は、前甲板の左舷が一フィート近くも、右舷は三フィートくらい水面以下に沈んでいたので、きわめて困難であった。しかし彼らはたくさんの木材と、ロープ類、数箱の食糧をとりだすことに成功した。船の炊事室は海中に没していたが、ベークウェルは鍋を二、三個手に入れてきた。これはあとで非常に役に立った。船艙内の部屋には、小麦粉など多くの穀物箱が貯えてあったが、これは船をはなれるまで持ちだせなかったものだ。そこで、これらの箱のある真上の甲板の位置をよく見定めておいて、厚さ三インチの甲板に、氷鑿で穴をあけはじめた。船のこの部分は、海水中に五フィートあまりも没していたので、これはらくな仕事ではなかった。だがわれわれは、数箱をひきあげるだけの大穴をあけるのに成功したのだった。

隊の常食はおもに、たっぷりあるアザラシとペンギンの肉を、煮るか炒めるかしたものであった。ある隊員が書いたように、「いまのところ食べものはそうとうあるにはあったが、決してあまるほどではなく、だれもがいつも腹ぺこの感じで、あたえられる食事はぺろりと平らげて、もっとほしそうにしている。食事はきっちりと、みな同じものを同じ量

オーシャン・キャンプでのシャクルトンとハーレイ

だけ公平に食べるのだった。シチューを食べおわるまで、おしゃべりする者もなく、みな黙々とかきこんだ」

　われわれのテントは、食事時ともなると修羅場と化した。

「道具がなにもないテントで生活していくためには、慣れることが第一である。もちろん食卓はなく、地面にすわったまま食事をとらねばならないのだが、その恰好のなんとぶざまなことか。よく日本人がするように、自分の踵に尻をのせてすわるスタイルのほうがずっとましだ」

　各人が一日交代でキャンプの炊事係をつとめたが、ある隊員はこう書いている。

「炊事係というよびかたは、いまのところあまり適切な表現ではない。なぜなら、テントには炊事炉があるだけで、なんにも特別に料理することはないからだ」

　実際のところ、炊事係がやるべきことは、二つのシチュー鍋を炉の上にのせて、それにアザラシかペンギンの生肉をほうりこんでシチューをつくり、テントに飲料水を運び、食後は二つの大鍋と食器をきれいに洗うだけである。使ったスプーン類を洗う者は、だれもいなかった。食事がおわると、みなスプーンとポケットナイフをできるだけきれいになめて、めいめい自分のポケットにしまうだけである。

われわれのスプーンは、ここでは貴重品のひとつである。スプーンを失うことは、歯のない人が入歯をなくすぐらい重大なことになろう。このオーシャン・キャンプにいるあいだじゅう、アザラシとペンギンの補給で、いちおう食べるだけなら不足を感じるほどのこともなかった。

われわれは毎日、生肉をもとめては、幾隊にもわかれて、氷丘や積氷のなかを狩りにでかけていった。アザラシを一頭みつけると、たいてい襟巻か靴下を竿の先にかかげ、信号がわりにした。キャンプではそれに応答の信号をあげ、ワイルドは犬ゾリをつれて、その獲物を射ちとりにでかけた。隊員と犬どもが食べるには、一日一頭のアザラシがあればなんとか足りた。このへんのアザラシの種類はたいてい蟹食い《クラブイーター》アザラシで、ペンギンはおもに大型の皇帝《エンペラー》ペンギンだった。しかし十一月五日には、普通のアデリイ・ペンギンがつかまった。そこでつぎの話でわかるように、いろいろと討論がおこなわれたものだ。

「午前三時から四時まで当直にあたっていた隊員が、一羽のアデリイ・ペンギンをとらえた。これは去る一月以来、われわれがみたこの種のペンギンではじめてのものであったが、もっといるのかもしれない。われわれの近くに、どこか陸地がある前兆かもしれないし、ひょっとすると大きな水路が口をひらいたしるしかもしれないのだ。しかし現在のところ、それは希望的観測にすぎないようだ」

この後オーシャン・キャンプにいた二カ月のあいだ、盗賊カモメ、南極ウミツバメ、豹《レパード》アザラシなどはみあたらなかった。

毎日、食糧補給のための狩猟のほかに、われわれは船から運びだしてあった何冊かの本を読んで時をすごした。書籍のなかで最大の宝物は、一冊の「大英百科事典」だった。これはいろいろな問題を解決するのにいつも利用されていた。ある日船員たちは、「貨幣と交換」の問題について激論をたたかわした。結局、彼らは彼らの見解とちがう大英百科事典のほうがまちがいであるという結論をくだした。

アメリカにおいて、いまはもうなくなっている町、現在ある町、将来どういう町ができるかなどについて、またジョージ・ワシントンにはじまるあらゆるアメリカの政治家の生涯について、この百科事典にまさるものはないだろう。われわれはマッチが欠乏してきたので、大英百科事典を本来の目的とちがう用途に使うことになった。というのは、隊員のなかにこの事典の紙が、硝酸ナトリウムで強くしてあることを発見した天才がいて、それ以来われわれは事典をパイプ煙草のつけ火に断然つかうようになった。

このほか南極の探検関係書数冊、ブロウニングの詩集やコールリッジの「老水夫の歌」

などがあった。われわれは「老水夫の歌」を読んだとき、悠然と洋上を飛翔する海鳥アルバトロス（アホウドリの一種）と老水夫とのやりとりをおもしろく読んだのだった（漂流中の老水夫はアホウドリをつかまえて食べるのだが、その罪の意識にさんざん悩む）。もしアルバトロスがいれば、われわれの食糧貯蔵庫にとって歓迎すべきものになっただろう。

キャンプでいちばん気にかかったのは、漂流の速さと天候の問題であった。ワースリイは、ちょっとでも太陽が顔をだした日はいつでも太陽測定をおこなったが、その結果によれば、結局、浮氷の流れはほとんど全面的に風に支配されていて、海流の力にはさほど左右されないことがわかった。もちろん、われわれは浮氷帯の先端まで北方へ流れていって、氷がゆるめばボートでもっとも近くの陸地まで漕いでゆきたいと思っていた。われわれは意気揚々と出発し、びゅうびゅう吹く南西からの風をうけながら、二、三日のうちに約二〇マイル北へ漂流していった。しかし、幾度かの位置測定でわかったのだが、北へ流れる速度がだんだん遅くなり、ついにはキャンプの浮氷は逆に南のほうへもどりはじめていたのだった。

漂流の平均速度は遅く、われわれがいつ浮氷帯の北の先端につくかという推測計算もまちまちであった。一九一五年十二月十二日に、ある隊員はつぎのように日記につづっていた。

「南極圏を外へ横ぎれば、もう半分は帰ったようなものだった。風さえうまく吹いてくれれば、新年になるまえに極圏がこえられるだろう。それには一日に三マイルたらず漂流すればよいだろう。われわれは、この三、四週間にそのくらい流されてきたのだ」

「われわれはいま、ポーレ島からわずか二五〇マイルはなれた位置にいるが、島からは東へ寄りすぎている。われわれは往路に、昨年のいまごろいた緯度へと近づいている。ちょうど一年と一週間前に、船は南ジョージア島を発って、大晦日に南極圏をこえてから、一九一五年一月三日には、探検隊が現在いる位置から四、五マイル東方のところで、この緯度に達したのだ」

こうして、一年にわたる氷とのたえまない闘いののち、われわれは運命の不思議な歯車にまきこまれて、十二カ月前に希望と熱意にもえながら出発したのと、ほとんど同じ地点へもどってきたのである。しかし、いまはなんと変りはてたことか！　船は氷との決闘にやぶれ、粉砕されて沈み、われわれ自身は、風のまにまに、一片の氷にのって運を天にまかせながら、漂っているのだ。風向のかげんでときどき逆に流されたりしたが、漂流は概して都合よくいった。そしてこのために、隊員たちは、思いのほか陽気にすごしてきたのだった。

その朝、わたしは当直のためにはやく——午前四時——起きた。

眺望はほんとうにすばらしかった。眼前には、ここかしこ小さな水路に断ちきられた広漠たる氷原のパノラマ的風景が展開し、堂々とした氷山がいくつか王者のように点々と横たわっていた。そしてそれらのあるものは陽光を浴び、あるものには灰色の雲の影がかぶさっていた。

みると、陽光にきらめくところと影とのあいだに、あざやかな区切りの投影線がえがかれ、それがだんだん近づいてきて、氷原の氷稜をひとつひとつ照らしだし、ついには光がわれわれのところまで達して、浮氷上のキャンプ全体がさんさんと陽光を浴びた。それはほとんど一日中つづいた。

この日の午後、一、二度、霰のような雪にみまわれた。昨日もめずらしい雪が降った。それはむしろ氷針ともいうべきもので、正確には長さ三分の一インチぐらいの小さい毛髪のような形をしていた。

いよいよエンデュアランス号の最期がやってきたとき、われわれはむしろ救われた気持だった。一人の隊員は、そのときのありさまをつぎのように記録している。

「一九一五年十一月二十一日夕方、われわれがテントのなかで横たわっているとき、『船が沈んでいるぞ！』と隊長が叫ぶのがきこえた。すぐとびだして、木材でつくった見張台やそのほかの氷の高所へのぼった。すると、たしかに一・五マイルばかり先に、われわれの不運な船は断末魔の苦悶にあえいでいるのだった。船首がまず海中に没し、船尾が高くもちあがった。すると船は一瞬にして沈み、未来永劫にその姿は氷につつまれてしまった。それを眺めていると、なんともいえぬ暗い気持におちこんでしまった。すでにマストも折れており、役に立たなくなっていたとはいえ、エンデュアランス号は外界とわれわれをつなぐシンボルだったのだ。船を失って、われわれの窮乏生活はのがれられぬものとなったし、完全に孤立したのだ。天涯孤独となった氷上キャンプではなにか憂鬱な雰囲気につつまれた。船をなくし、だれもが意気銷沈し、口をきく気力を失ってしまった。われわれがこのように感傷にとらわれたからとて恥じることはない。船は音もなくウエッデル海の底深く、いまわれわれの立っている氷の下へと、安住の地をみつけて沈んでいったが、われわれはなつかしい思い出、楽しかった日々、興奮さえおぼえてきりぬけた苦難の思い出などをもぎとられてしまったように感じたのだった。われわれのように、船をすみからすみまで知りつくして、船を助けたり船とともに闘ったりしてきた者には、船との別れには、あとにとり残される心細さはべつにしても、哀切の念を禁じえないものだ。そして氷上の見張台の頂きにたたずむ隊長サー・アーネストが、『船が沈んでいく』と、悲痛な、しかしおちついた口調で叫んだとき、われわれのなかで感動しない者がいただろうか」

十二月七日と八日は、北西の風のため、われわれの行進はいくらか遅れた。だが風によって氷が口をひらいて、水路ができ、われわれはそこをぬけて無氷の海へでられるかもしれないという望みがもたれた。

十二月二十日、わたしはワイルドと相談したのち、西へ行進してポーレ島までの距離をちぢめたいと、全員に知らせた。

キャンプではみな喜びながらがやがやとしゃべり、だれもが行進を望んでいた。そこで翌日、わたしはワイルドとクリーンとハーレイと、犬ゾリをともなって、道をさがすために西へむかった。

十二月二十二日はクリスマスを祝うことにきめ、わずかに残る贅沢品の大半を、クリスマスの楽しみにつかった。贅沢品は全部を運ぶことはできなかったので、これまでの八カ月の名残りに、ご馳走をたら腹たべた。オリーブ油漬のかたくちいわし《アンチョビイ》、いり豆、野兎のシチュー風煮込み罐詰など、氷上生活のながいあいだ、われわれが夢にも思わなかったすばらしいものがあった。

出発の本格的準備に、みながソリに積んだり積みかえたり、携行食糧を袋や箱にしっかりつめたりして、一生懸命に働いた。わたしは全員の晴れやかな顔をみわたしたとき、こんどこそ幸運にめぐまれて、氷を越えて安全な場所へゆきたいものだと願わずにはいられなかった。

夜の当直をのぞき、われわれは午後十一時に眠りについた。翌二十三日、午前三時にわれわれは起きた。ジェームズ・ケアード号とダドリイ・ドカー号の二隻のボートを、まだ氷の表面がかたい夜のうちに、危険な割目をこえて新しい氷のほうへソリで曳いていくためである。西から海霧がきたので、われわれは元気をつけるため熱いコーヒーを飲んでから、午前四時半に出発した。二隻のボートは、全員でかわるがわる曳かねばならなかった。

そして砕けた氷のなかを注意しながら、まわり道をして一隻とも無事に危険な地帯をこえた。

つぎにテントや残りのソリをとってくるためにオーシャン・キャンプへもどり、一・二五マイルほど先のボートのわきに、キャンプを張った。その帰りに、一頭の大アザラシを捕えたが、これはわれわれ自身と犬のための、新鮮な食糧となった。キャンプにつくと、罐詰のつめたい羊肉とお茶が供され、午後二時には寝についた。わたしはすこしでも気温が低く氷面がかたいときに進もうと、日中は寝て夜間行進するつもりだった。

食糧は当面六週間分しかなかったので、やむなくふたたび氷上に設営して、脱出をはかるのに都合のよいときがくるまで、さらに耐えしのばねばならなかった。こんなわけで、ソリに残りの食糧とソリ旅行用の保存食をしばりつけ、必要最小限の装備類もオーシャン・キャンプから積んできた。新しい氷上キャンプには、この後三カ月半ばかり滞在することになったのだが、それを「忍耐キャンプ」とよぶことにした。

アザラシとペンギンをさがすために、毎日あっちこっちとでかけていった。探検隊には、ソリ旅行用の定量食のほかに、犬用ペミカンもふくめて約一一〇ポンドのペミカンと、小麦粉三〇〇ポンドがあった。ほかにすこしばかりの茶と砂糖、乾燥野菜、牛脂《ヘット》などがあった。わたしはオーシャン・キャンプに放置してあった食糧をとってくるため、ハーレイとマクリンをキャンプにむかわせた。彼らはそこから粉ミルク約一三〇ポンド、犬用ペミカンとジャムをおのおの五〇ポンド、罐詰肉少々というすばらしい荷物をたずさえてもどってきた。一マイルあまり先にいる彼らの話声が、忍耐キャンプにいるわれわれのところへ、はっきりときこえてきた。それほどあたりは静寂につつまれていたのだ。

いうまでもなく、穀粉類が非常に欠乏しており、小麦粉は節約しても十週間ももたないだろう。そしてソリ旅行用定量食は、三カ月ももたないだろう。いうまでもなく、食事はアザラシとペンギンを主にしなければならなかった。この新鮮な肉は、味はとにかくとして、壊血病の予防にはたしかに効果があって、隊員はだれも壊血病で苦しむことはなかった。しかし量と味覚という点では、好ましいものではなかった。われわれは身体が弱って元気がいくぶん衰えていくように思われた。

われわれの食事は、かろうじて生きていられるだけのものであって、その二倍だされてもらくに食べられると思えた。いまのところ一日の食事は、平均して、朝はアザラシ二分の一ポンドと四分の三パイントのお茶ですまし、昼は手製の菓子パン四オンスと薄いミルク、夕食は四分の三パイントたらずのアザラシのシチューであった。これでは現在のようなわずかな仕事をするのにも少なすぎる。それというのも、パンやジャガイモなどの食糧がまったく不足していたからである。たいていの者は量的に不足らしく、たえず食べものの話をしているが、多くの者にとり、そうした食物の話は、満足できぬ食欲をいっそうそそるだけだった。われわれは、喉から手がでるほどパンやバターがほしかった。というのは、それが手にはいらないという理由からではなくて、身体がそれを真底から要求しているためであった。食糧が欠乏し、食べられるものはなんでも入手しなければならない状況だったので、わたしは意を決してソリ犬は二組《チーム》をのぞいてすべて射殺するよう命じなければならなかった。これはこの探検中、まことに不幸なできごとであって、われわれは犬たちの損失を痛惜しあったのであった。

肉の貯えはもう以前からとぼしくなっており、このごろはわずかばかりの小片でがまんしなければならなかった。だがさいわいに二頭のアザラシと四羽の皇帝ペンギンを捕え、翌日は四十羽のアデリイ・ペンギンをとることができた。現在、食糧は四十日分しか残っていず、脂肪分の欠乏が痛手だった。牛脂《ヘット》はもう使いはたしてしまったので、肉をいためるにはアザラシの脂をつかった。その魚くさい一種異様な味も、慣れてしまうとあまり気にならなくなった。われわれはオリバー・トゥイストのように、それがもっとたくさんあればよいと思うのだった。

閏年《うるう》の二月二十九日、われわれは全員をなぐさめ元気づけるために、特別の祝宴をひらいた。隊員中のある皮肉屋は、それをあと四年間、女の魔手からのがれるものを祝福するためだと冗談めかしていった。今日は最後のココアをつかった。これ以後は、ときどき薄いミルクを飲むほかは、とうとう水が唯一の飲みものになってしまった。残してあった角砂糖を三個あて、毎日各人に分配した。

忍びよる死の浮氷帯

犬のピーターがかみついた手製の菓子パンのことで思いだすのだが、故国で犬にあたえる餌ほどのものすらが、現在食べたくなるのである。人間は腹ぺこになると、選り好みなどすっかりしなくなって、残りものでもかまわずによろこんで食べるようになる。隊員のだれかがひろいあげた食物の小片のことを、のこらず書きあげれば、おそらくみんなは赤面するだろうが、ここにはつぎのことを述べるだけで十分だろう。料理係がすすけた古布の上にペミカンの焦げくずを鍋からひっくりかえして、ぽいと外へすてたとき、ある隊員はそれを丹念にさがしあつめて、よごれたところをこすりおとして口へ入れたのだ。また別の者は、数日前にチーズのかけらを雪のなかにおとし、それをみつけだそうと小一時間も雪のなかを夢中でさがしまわった。その男は、親指の爪ぐらいの大きさの小片をとにかくみつけだし、骨折っただけの価値があったと満足したのだった。

われわれの食事は、いまではアザラシの肉だけになり、昼はそれに一枚のビスケットをそえた。この調子でゆけば、アザラシとペンギンをいくらかとれば、六カ月ぐらいはもつだろうとわたしは計算した。やはりわれわれ全員はそうとう弱っていた。われわれが浮氷からのがれて、ボートに乗るようなことになれば、ただちに食事を相当量ふやさねばならないだろう。ある日、大きな一頭のレパード・アザラシが浮氷にのぼってきて、その鋭い歯で一隊員に襲いかかってきた。叫び声をききつけたワイルドは、とびだしていって一発で射ちとめた。その胃袋を切りひらいてみると、魚がまだそのままの姿で数匹はいっていた。われわれはこの魚を、アザラシの脂で揚げた。こうして浮氷上の漂流中、はじめて「新しい」魚のフライ料理を、予期せず味わえたのである。

四月二日、ついに最後の二組《チーム》の犬群を射殺して、その肉を食糧としなければならなくなった。犬の肉を料理したが、空腹のわれわれにはそれほど悪いものではなかった。――それはちょっと牛肉のように思えたが、もちろん固かった。

われわれがはじめて忍耐キャンプにおちついたとき、天候は非常におだやかだった。しかし翌日は霧のある曇天で、いくらか雪が舞っていた。その翌日は気温が三度余に上昇したのに、ひどく寒さをおぼえ、足の下はじめじめしていた。だいたい一月の前半は、天候がわりにあたたかかったので、外では手袋なしに素手で作業することができた。

しばらく静穏であたたかい天候がつづいたが、十二月初旬とほぼ同じ緯度にとどまっていたので心配だった。一月の末には、吹雪のなかを八四マイルあまり漂流したので、みなは元気づいた。やがてこれもとまり、すこし東へ流れだした。漂流速度はかなり遅くなり、二月二十二日には、目的のポーレ島まで八〇マイルもあった。先にのべたように、島には十年以前に建てられた小屋があり、ノルデンショルトの探検隊を救助にむかった船がおろした物資があるはずであった。その装備と手配は、かつてわたしが担当したものであった。われわれはたがいに語りあったことであるが——もしわたしが幾年も前に他国の探検隊のためにととのえて送りこんだ食糧箱が、きたるべき極南の冬に、こんどはわれわれを救ってくれるようなことにでもなるなら、なんたる運命のめぐりあわせであろう、と。しかし事がそううまく運ぶはずはなかった。三月五日には、ポーレ島の緯度線で、およそ四〇マイルばかり南のところにいたが、経度線ではずっと東のほうに流されていた。しかも浮氷群はソリで走行して島へ近づくには割れすぎていたので、島を通りこして流されてゆくように懸念された。三月十七日までには、ちょうどポーレ島と平行する位置にいたが、島からは六〇マイルも東にいた。いまの状況では、割れた海氷上をわたっていくには、島まで六〇〇マイルの距離はあるだろう。これはまず不可能であった。

つぎに、三五マイル先にあるデンジャー島のことを考えるようになった。結局、われわれがジョインビル島を眺めるようになるまでには、この海岸を南西から北東へと流されたりもどされたりしつつ漂っていくだろう。

ひどい吹雪で、三月二十三日まで一週間というものは、いっさいの視界がさえぎられてしまった。今朝「陸地がみえます」と報告があった。はじめはそれを疑っていたが、午後にはまぎれもなく西方に陸地があらわれてきたので、もはや疑う余地はなかった。それはジョインビル島であって、全山雪におおわれた鋸の歯のようなけわしい山々が水平線に眺められた。もしわれわれが島までたどりつきさえすれば、この荒涼たる容赦ない土地も、われわれの避難場所になることであろう。だが、浮氷がいまのように割れていては、それも無鉄砲な試みであろう。ソリでいくには氷が弱くて割れすぎており、そうかといって、ボートを使うには氷が多すぎるのだ。

それから二、三日間は、島へ到達したいと思いながらも、あいだの氷にさまたげられて、島を通りこしてゆっくりと流れていった。そうして三月の末には、同島のバジングトン山がはるかかなたに消えていった。

われわれの望みはいまやエレファント島かクラレンス島にかけられていたが、それはまだわれわれの北方一〇〇マイルのかなたにあるのだった。もしわれわれが、これらのいずれかの島に到達できなければ、さらに遠い南ジョージア島へむかうことになるのであろうが、南ジョージア島につくチャンスは、まずないだろう。

氷からの脱出

四月七日の早朝、われわれが長らく待ちこがれていたクラレンス島が、われわれのいる浮氷のほぼ真北に姿をあらわした。遠くからだと、最初のうちは巨大な氷山のようにみえたが、空が明るくなるにつれ、小石まじりの黒い斜面や、一見蜃気楼とみまごうばかりの高くけわしい断崖が、はっきりみえてきた。白雪のなかでみる黒い岩肌には、みる者の心をなぐさめるものがあった。というのも、あまりにも長いあいだ、われわれの目は、その影の大きさによって大きくも小さくもみえる氷山ばかりを眺めてきたし、いくどか島を発見し、いくどかジョインビル島の氷雪におおわれた峰々を望みみたりはしたが、それらは、風や気温がかわると、雲霧のごとく、あるいは流れてゆく氷塊のごとく、視界から消えていってしまうのだった。こんなわけで、ワースリイとワイルドとハーレイとが口をそろえてわたしがみたものを確証してくれるまで、ほんとうにクラレンス島を目にしたのだとは考えられなかったのである。

島はまだ六〇マイル以上も先にあったが、それはなんだか故郷のようにさえみえてくるのだった。なぜなら、長いあいだ不安定な氷にのって漂流してきたが、ようやくしっかりした足場がえられると思ったからだ。島には、ジョインビル島よりも高い孤峰が天に聳《しょう》立《りつ》していた。

われわれは浮氷上の生活に甘んじてきたものの、上陸地点を発見するという希望をつねにいだいていたのであった。ひとつの希望が消えくずれても、またつぎの希望をもやしてはがんばってきた。われわれの漂流するキャンプには、それを導くべき舵もなく、速度をくわえる帆もなかった。気まぐれな風と潮の流れのままに流されていったのである。われわれの心は、かたい地面を踏みたい一念でつねにみちあふれていた。昼間だと、クラレンス島は陸地のようにはみえず、八〜一〇マイルばかり先に浮いている浮氷のようであった。というのは、南極地方のように大気の澄んだところでは、たとえ遠くはなれているとしても、このように近くにみえるのだった。午後おそくなってから、エレファント島の純白の峻峰が、はるか北西のほうにあらわれた。

「……わたしは、こんどは砂糖をだすのをやめることにした。そして、われわれの食事はアザラシの肉と脂身だけで、それに、毎日七オンスだけ粉ミルクを使うことにした」とわたしは日記にしるした。

「各自がすこしばかりの塩をもらい、ミルクはだれもがあたためて飲んだ。氷の上ではたいして運動もできないし、脂身が熱量源となるから、こういう食事はなかなか適切だった。脂身を揚げたものは、からっといためたベーコンの味とよく似ている。たぶん、文明世界にいる人たちは身ぶるいしていやがるにちがいないが、いまの場合、アザラシの脂身を食べることなんかなんでもない。もし脂身がなかったら、それこそたいへんなことになるだろう」

人間という動物の味覚はなんでもおいしく食べられるようになっている、とわたしは考える。動物のなかには、その動物が常食としているものとちがった食べものでは、死んでしまうものもある。ヒマラヤの高地にすむヤクなどは、山地に自生する乾いた草をごく少量たべて生きていて、たとえ最上のカラス麦やトウモロコシをあたえたとしても、おそらく拒否反応をおこして餓死してしまうだろう。

「南西方面から北東方面にかけて、先週来の黒いウォータースカイが、われわれのまわりをぐるっとかこむようにでている。氷山はすべて西のほうへ流れてしまって、視界にのこっているのはごくわずかだけである。今日は波のうねりがふだんよりずっと大きい。きっと近くに浮氷群があるのだ。強風でも吹けば、浮氷がちらばってしまい、そこを通りぬけることもできるだろう。どういう方策が残されているか、わたしはいろいろ考えてみた。長い漂流ののちにクラレンス島があらわれたのは、いずれにしてもひとつの結論がだされたように思われる。この島は南にある最後の前哨地であり、われわれが最後のチャンスとして上陸するところでもある。そのむこうには、無限の、広大な南大西洋が横たわっているのだ。われわれがたずさえてきた小さなボートは、こんどこそ、北と東の陸地まで、一リーグにおよぶ海を、氷がないとはいえ、なんの保護もなく渡らなければならないかもしれないのである。クラレンス島か、そのとなりのエレファント島には、なんとしても上陸したほうがいいように思われた。エレファント島は、わたしの知るかぎり、これまでだれも上陸したことはないが、ちょっと魅力を感じさせる島である。その名からして、島にはずんぐり肥った象《エレファント》アザラシがいるような気がした。いずれにしろ、早くしっかりとした土の上を踏んで歩きたいと思っていた。

われわれの乗っている浮氷はわれわれの親友となっていたけれども、別れねばならない旅のおわりが近づいたようだった。いつなんどき、割れて底なしの海中へわれわれをほうりだすかわからないからだ」

しばらくしてから、すべての状況を再検討したのち、わたしはディセプション島へむかうことに決定した。クラレンス島とエレファント島とディセプション島の位置関係は、海図で知ることができる。はじめの二島は、わりあい現在のわれわれに近く、浮氷上のキャンプから約一五〇マイルのところにあるキング・ジョージ島とは、およそ八〇マイルへだたった地点にある。この島からは、同じような島のつながりが西へのび、それがディセプション島でおわっている。これらの荒れはてた岩と氷のつながりのあいだにある水路の幅は、一〇マイルないし一五マイルである。

イギリス海軍の「航海水路誌《セーリング・ディレクション》」で知るところによると、ディセプション島には高い山岳もなく氷雪もすくない。円形の内湾と熱い温泉のある島で、海の遭難者がつかうための物資がそなえてある。また、夏おとずれる捕鯨漁の者たちもまだ湾内にいるかもしれない。また、数すくない記録を読んで知ったのだが、島には、一時的にくる捕鯨船員のために小さい教会も建てられているそうだ。もしもの場合には、この教会をこわして、航海に耐えられるボートを建造するための材木を得ることができるだろう。われわれは、浮氷での漂流中にこの点について話しあったことがあった。われわれの二隻のボートは頑丈そのものであるが、三番目のジェームズ・ケアード号は、他の二隻よりやや長いけれども、目方の軽いボートであった。いずれにしても、この三隻は、荒海として名のとおった極南の海域を渡るのには、あまりにも小さすぎた。しかも、荷物もたくさん積まねばならないため、ひろい外洋での長期航海は困難だろう。船大工は、長椅子をこわしてボートの縁や甲板にあてたいと考えているかもしれない。どちらにしても、われわれはディセプション島に上陸すべきだった。そうすれば、最悪の事態におちいったとしても、十一月半ばごろにやってくる捕鯨漁の人たちを待てばいいのである。

キング・ジョージ島については、ウエッデル海西側の記録ですこしは調べることができる。「航海水路誌」にのっているサウス・シェトランド諸島の記事によると、同島には洞穴があるとでている。その穴のことは、われわれのだれもみていないし、それが大きなものか小さなものか、また湿っているか乾いているか、わかってはいない。しかし、われわれのように、浮氷にのって漂流したり、おそろしい氷のあいだの水面を航行したり、また不気味な夜のキャンプを体験してきた者にとっては、その穴が、ベルサイユの宮殿にもたとえられるような場所となるかもしれないのである。

夜になってから波のうねりが大きくなり、氷の動きもはげしくなった。ときどき、近くの浮氷がわれわれの浮氷とぶつかり、にぶい音をたてた。これがどういう結果になるかはすぐに判断できた。ただちに、かたい土地へうつらねばならなかったのだ。すごい一ゆれがあり、やがてその震動はやんだのだが、そのときわたしの頭は、つぎにとるべき処置のことでいっぱいだった。もし隊員数が六名以上でなかったなら、問題はそれほどむずかしくはなかったろう。しかし、われわれのようにかぎられた手段しかない状態で、全員を安全な場所まではこぶことは、非常に困難なことである。われわれ二十八人がのっている氷塊は、風と天候と、ぶつかってくる浮氷群と、高まる波の力で、だんだん縮小してゆくのだった。

わたしは、両肩にのしかかってくる責任の重さをひしひしと感じた。だがその反面、わたしは隊員たちの態度に激励されもし、よろこびもした。孤独は隊長たる者が当然うけるべき罰でもあるが、決断をくだす者にとって、したがう隊員たちが彼に信頼を寄せ、命令が確実に遂行され、成功さえ期待できるようなときには、大いに勇気づけられるものである。

翌朝──四月八日──は、青空に陽が輝いていた。水平線にはクラレンス島がはっきりあらわれ、エレファント島もまた姿をみせていた。クラレンス島の雪をいただく独立峰は、あたかも安全標識のように屹立していたが、その白につつまれ厳としてそびえる巨人からわれわれをひきはなしている氷と海をすいすい渡っていけるなどとは、考えることもできないだろう。今朝は浮氷がずっとゆるみ、北東からくる長い波のうねりも、昨日より大きい。浮氷は、海の動きにつれて上下にゆれた。大きな浮氷のかたまりや氷山や氷丘がわれわれの後のほうに残されているところをみると、われわれはまちがいなく表層海流にのって流されているのだった。キャンプの連中の提案で、さしあたっては適当な氷山のひとつにキャンプを移し、西へ流されていったらどうか、という話がでた。だがこの考えは、しかとした根拠にもとづいているものではない。その氷山がうまいぐあいにまっすぐ流れていってくれるものかどうか、わたしには保証できないことだ。かりに氷山が西へ流れ、われわれが無氷の海へはこばれていったとしても、浮氷がなく、波のうねりが高いところで、浮氷よりさらにけわしい氷山からボートをおろそうとすれば、いったいどういうことになるだろうか。また、われわれが乗っているときに氷山が割れたり顚覆したりすることも考えねばならない。巨大な氷塊の状態を外見で判断することはむずかしい。氷には切目があって、風と潮流と波のうねりかげんで、その弱点が急にあらわれて、悲劇におわったりするのである。過去二回の南極でのわたしの体験からしても、不安定な氷山にのって漂流するという考えには賛成しかねた。状況が好転して陸地にむかって前進するようになるまで、浮氷上にとどまらねばならない。

午後六時半、浮氷にとくに大きな衝撃がつたわってきた。当直や他の者がすぐ調べてみると、ちょうどジェームズ・ケアード号ののせてある真下、および二隻のボートとメイン・キャンプとの中間に、割目がはいっているのがわかった。五分とたたないうちに、ボートをテント近くまで曳いてきた。もうひとつの浮氷からうけた打撃では、さいわいなにごともおこらなかった。われわれが生活をつづけてきた氷はそうとう縮小してしまい、消滅寸前であることがはっきりわかった。そして、波がうねってくると、それにむかって、船のようにその舳先をのせた。そのため、浮氷は船と同じように前後にゆれた。したがって、中央部が波のうねりにのり、両端がもちあがり、ついで両端が波間の低みに沈むとき、横に割目がはいるのだった。いまやわれわれは、三辺がほぼ九〇、一〇〇、一二〇ヤードの、三角形の氷の筏の上にいるのだった。

夜がおとずれたが、どんよりとした曇り空だった。真夜中前までは、西風が吹いていた。風と波と海流のために浮氷群がひらいているのがわかったので、ボートをおろす時機もまぢかであると判断した。キャンプをたたんで出発するには好ましくない状態であったが、これからさき長いあいだ浮氷上にいては安全でないことは明白だった。波のうねりをうけて氷の動きははげしさをまし、いつキャンプの真下で氷が割れるかわからない状態だった。そうした場合にただちに行動にうつれるよう、われわれは準備していた。いまの場合、氷が一行をささえることもできないほどこなごなに割れ、しかも、海面にはボートも使えないほど氷がぎっしりつまっていれば、われわれにとっては、まことにあわれというほかはなかっただろう。

翌日——四月九日——は日曜であったが、われわれには休息日にならなかった。これまでのところ、いろいろの重大事は日曜日ごとにおきてきたのだった。そして、こんどの日曜はとくに重要な日であった。われわれは、ほぼ六カ月のあいだすごしてきた浮氷を去って、ボートの旅につく予定だったのだ。

層雲と積雲でいくぶんか曇っていたが、すばらしい朝だった。南南西と南東の微風があった。この風で、クラレンス島の近くまで、ずっと氷が流れていけばよいが、と考えていた。午前七時には、西の水平線にひらいた水路のあるのがわかった。その水路までの浮氷群はひらいてはいたが、ボートでは乗りつけられそうにもなかった。北西からの長いうねりは昨日よりも大きかったので、浮氷群は混乱をきわめ、たがいにぶつかりあってはゆれ動いていた。氷塊と氷塊のあいだに浮いている古いゆるんだ脆氷——ローテン・アイス——は、まるで泥沼のようにまざりあい、われわれのまわりで口を開いたり閉じたりしており、水面はとてもボートを浮べられる状態ではなかった。

朝食後、わたしはキャンプをたたむよう命じ、ボートがおろされたときすぐ出発できるように、万端の用意をととのえた。わたしは、ワイルドほか十一名の者といっしょにジェームズ・ケアード号に乗ることにきめていた。このボートは三隻中いちばん大きく、人員のほかに大部分の物資を積みこむことができた。ワースリイは九名とともにダドリイ・ドカー号をうけもち、ハドソンとクリーンは、残りの隊員とスタンコム・ウイルス号に、指揮者として乗ることになった。

朝食後まもなく、氷はふたたび海面をすきまなくふさいでしまった。われわれはできるかぎりの準備をととのえて、そのそばに待機していた。そのとき——午前十一時——、浮氷は突然、ボートの下で真一文字に、ガバッと割れた。われわれは、二つの浮氷の大きなほうへ急いで荷物を投げうつし、緊張しながらもつぎのなりゆきを見まもっていた。割目は、わたしのテントのあったところを走っていた。わたしは新しくできた亀裂の端に立って、ひろがりゆく水路のむこう側をながめたとき、寝袋のなかですごした数カ月のあいだ頭と肩を横たえていた場所をみつけた。わたしの体でできた氷の凹みは、亀裂のこちら側にあった。幾月ものあいだテントで暮しているとき、わたしの体の重みで氷がくぼみ、いくどかわたしは寝袋の下に雪をつめて、その穴を埋めたのだった。幾重にもかさなって層をなした筋が、その雪の層をはっきりと物語っていた。われわれの氷上キャンプは、なんと弱々しい危険なところだったろう！　だが、慣れてくると、危機感も弱まるものである。この浮ぶ氷が、われわれの家になっていたのである。漂流のはじめの幾月かは、それが底なしの海に浮ぶ氷盤にすぎないなどとは、ほとんど考えずにすごしてきたのだ。いまでは、慣れしたしんだわれわれの家も、足の下でこわれ砕けていた。騒ぎがしずまり、われわれは、いいしれぬ、うつろな、みたされぬ思いにしずんだ。

二つにはなれた浮氷は、しばらくしてふたたびいっしょになり、われわれはアザラシの肉で昼食をとった。全員は、前途の危険を一時わすれ、腹いっぱい食べた。間近にせまってきた島への航海には、なによりも、食事を十分とることが最良の準備になると、わたしは考えたのだ。結局、行動をおこすときは、難破した本船からとりだした食糧を全部たずさえることはできないだろう。したがって、氷上にのこすよりも、一ポンドの食糧をお腹につめれば一ポンドだけ食糧を救いだすことになると思ったのだ。午後一時、出発の命令をくだした。

浮氷群は間隔をひろくひらき、水路は航行可能になってきた。欲をいえば、まだ期待するほどの状態ではなかったが、これ以上待っていないほうがよいと判断した。ダドリイ・ドカー号とスタンコム・ウイルス号がすぐ海へおろされた。荷物を投げいれると、二隻は、巨大な氷山が浮ぶ、三マイルほど幅のある水面にむかって、氷のないところを漕いでいった。ジェームズ・ケアード号は最後に氷をはなれ、キャンプの備品の残りのものをなるべくたくさん積みこんだ。そのときは必需品だと思っていた多くの品物は、その後いっそう原始的な生活をおくるはめになったとき、すててしまったものが多かった。時に応じて、人間はきわめてとぼしい手段で生命を維持していけるものだ。そして、文明世界のもろもろの飾りは、苛酷な現実のなかではたちまち捨てさられてしまうものだ。こういったおり、最小限、食物と避難場所がえられさえすれば、人はなんとか生きのびることができる。しかも、笑いを忘れない人間本来の姿があらわれるものである。

三隻のボートは、午後二時、浮氷上の家から一マイルばかり先へ進んでいた。水路を通って大きな水面へでたとき、ちょうど河口の波打際のように泡立つ海水と氷が、われわれのほうへ打ちよせてきた。浮氷は潮の流れで東へそれ、大きな氷塊が二つ、ボートのほうへむかってきた。ジェームズ・ケアード号が先頭をきっていた。右へ舵をきり、一生懸命にオールを漕いだ。われわれはようやくそこから逃げることができた。後についてきた他の二隻も、もうすこしで氷とぶつかるところだったが、必死に漕いで氷塊から脱出した。それはぞっとするような恐怖のひとときだった。われわれはウエッデル海の密氷帯をぬけだすことができたが、それは、風と波浪、急激な水温差、速い潮流などがうまく作用して生じためずらしい現象であったかもしれない。

夜が足ばやにせまってきた。はやくキャンプに適した氷をさがさねばならなかった。われわれがまだ流氷中を北西へ進んでいるとき、ダドリイ・ドカー号は、近道をしようとしてこの氷塊のあいだにはさまってしまった。急がば廻れという古い諺は、平和な田園におけるごとく、南極でもしばしばあてはまる真理であった。ケアード号はドカー号とまっすぐならび、しばらくドカー号を曳航してから、ふたたび無氷の海面へでた。

あたりが暗くなり、薄ぼんやりしたなかを、平らな固くて古い氷をさがしながら進んでいった。やっと、波のなかでゆれ動いている大きな浮氷をみつけた。それはあまり気のきいた仮泊場所とはいえなかったが、闇はあたり一面に濃くなってきて、ぐずぐずしてはいられなかった。われわれはボートを氷上にひきあげ、午後八時にはテントをはりおえることができた。ストーブにアザラシの脂身を投げいれると、赤々とした焔が燃えさかってきた。やがて全員は十分に空腹をみたし、それぞれのテントで愉快にすごした。わたしが日記をつけているとき、隣のテントからは、波のくだける音にまじって歌声がもれてきた。

その夜、十一時ごろ、わたしはなにか不安な気持におそわれ、ふと自分のテントをぬけだして、すでに静かになっていたあたりのテントをみまわした。風がでており、なんとなく胸さわぎがした。小雪がちらついていたが、星明りですかしてみると、浮氷が方向をかえ、先端のほうが波のうねりに洗われて、危険な状態になっているのがわかった。当直に割目に注意するように知らせようと、わたしは浮氷を横ぎって歩いていった。そして隊員たちのテントを通りすぎようとしたとき、氷が波頭にのってググーッともちあげられ、わたしの足の下で突然バリバリシューッという音がしたかと思うと、氷が割れた。隊員たちは一張のドーム型テントにいたが、割目が発生したときそのテントがひっぱられだしたのだ。ひっぱられたテントの下からは、息ぎれするような、にぶく重苦しい叫び声がきこえた。わたしはとんでいって、テントの下から這いだしてくる者たちを助けだし、「大丈夫か?」と大声できいた。「まだ海のなかに二人いる」とだれかが答えた。

割目ははや四フィートくらいにひろがっていて、わたしが氷の縁に身を伏せたとき、白いものが海に浮んでいるのがちらっとみえた。それは人がはいったままの寝袋だった。わたしはとっさにそれをつかむやいなや、波のうねりにあわせて、力まかせに氷の上にひきあげた。ほとんど同時に、両方の氷端はまた、あっというまに恐ろしい力でくっつきあった。さいわい海には一人しか落ちなかったが、そうでなければ、たいへんな惨事になったことだろう。救いあげた寝袋にはホルネスがはいっていたのだが、彼は腰まで水にぬれただけで、べつに傷もうけていなかった。

いったん閉じた割目は、波のうねりでまたひらきだした。ケアード号とわたしのテントは割目の一方にあり、ほかの二隻のボートと他の隊員たちは反対側の氷にいた。わたしは二、三人に手伝ってもらって自分のテントをたたみ、それから全員が舫索《もやいづな》をもって、すばやくケアード号を割目に渡した。われわれがロープをもっているあいだに、こちら側の人たちは、水面をとびこえたりボートの上をすばやく渡ったりして、むこうの氷へ這いのぼった。最後にわたしだけが残った。他の人たちの姿はみな、夜の闇にのまれてみえなかった。そして、氷ははげしく動いたので、わたしはやむなく舫索をはなしてしまった。一瞬、わたしの乗っているゆれ動く氷片は、世界中でもっともさびしい場所であるように感じられた。闇のなかをじっとみつめると、むこうの浮氷に黒い人影があった。わたしはワイルドをよんで、急いでスタンコム・ウイルス号をおろすよう命じたが、そうするまでもなく彼ははやくもわたしの意を察してボートをおろし、氷の端のほうへよこしてくれたのだった。まもなくボートはわたしのところへとどき、わたしはキャンプのある浮氷へと運ばれていった。

われわれが乗りうつった氷は、長さ二〇〇フィート、幅一〇〇フィートくらいの小さなものであった。その夜はだれも寝つけなかった。おそろしいサカマタクジラが、不気味な水音をたてながら付近をあばれまわっている。凶悪なことで知られているこのクジラは、氷のすきまから人を襲おうとねらっているのだった。夜が明けるのを待ちのぞみながら、氷の亀裂をみまもり警戒した。われわれがひとかたまりになって立ちすくんだり、暖をとるために行きつ戻りつ歩きまわったりしているあいだ、時間はのろのろとすぎていった。午前三時、寒さがくわわったので脂身ストーブを焚いた。各自があたたかいミルクを飲んだりパイプをくゆらしたりしているうちに、いくらか落着きをとりもどし、晴れやかな気分になってきた。とにかく、われわれは居場所をかえ、いちおうそれを確保したのだった。たとえどんな危険と困難にぶつかろうとも、それと闘い、乗りこえることができるだろう。

もうわれわれは、風と海流にもてあそばれて、よりどころもなく、むなしく漂流しているのではなかった。

午前六時、やっと夜明けの薄明りがさしてきた。すっかり明けきるのが待ちどおしかった。波のうねりはだんだん大きくなり、われわれの氷ははげしくゆれだし、同じような氷片にすっかりとりかこまれてしまった。

六時半、あたたかいシチューを冷えた体に流しこんで、浮氷が散るのを待った。チャンスは八時にやってきた。すばやくボートをおろして、荷物をつみ、氷をよけながら水路を北へ進んでいった。ケアード号が先頭をきり、ウイルス号がそれにつぎ、ドカー号がしんがりをつとめた。ボートの航行をらくにするため、重いシャベルやツルハシ、貴重な乾燥野菜などを氷上に残してきたが、それらがいつまでも、黒い点となって氷の上にみえていた。ボートにはまだたくさんの荷がのっており、船足はひどくおそく、危険だった。

十一時には氷のないひろい海面にでた。強い東風が吹いていたが、あたかも熱帯の珊瑚礁が太平洋の巨濤をさえぎっているように、外側の浮氷帯が波のうねりをさえぎってくれ、ボートはどうにか走っていった。正午すぎには、浮氷の北端をまわって針路を西へとった。

ケアード号はあいかわらず先頭をきっていた。荷物を積みすぎたボートは、無氷の海面にでると航行が苦しくなった。船がしぶきをあびると、それが凍りついて、人も道具も氷の鎧につつまれてしまい、船の安全すらもあぶなくなってきた。わたしはケアード号の針路をかえて、ふたたび仮泊できる浮氷をさがすことにした。浮氷群の内側は海も静かだった。

全員疲れ、寒さが身にこたえた。午後三時、前方に静かに横たわる氷山があるのが目にとまった。半時間ののち、われわれはボートをその氷上にひきあげて、すぐテントを張ることにした。それはすごく硬そうで、すばらしくどっしりした青い氷であった。そしてキャンプからは、あたりの海と浮氷がはっきりと眺められ、氷塊の最高点は水面から一五フィートの高さであった。あたたかい食事をとってから、見張番の当直をのぞき、全員ぐっすり寝てしまった。前夜来の疲労と、三十六時間も慣れないオールを漕いだために、だれもが休息をとる必要があった。

この氷山は海流の動きに十分たえられるように思われた。氷の底は水面から深くもぐっているので安定していて、波のうねりにもたいして影響されそうもなかった。なんとも頼もしい氷ではあった。真夜中ごろ、当直のあわただしい呼び声に目をさまされた。北西からの高いうねりで氷がこわされたという知らせだった。

わたしの足もとからわずか八フィートあまりのところで、大きな氷片がガラガラと砕けおちた。われわれは暗闇のなかでできるかぎりあたりを調査した結果、氷山の西側の厚く雪の付着したところが、波のためにつぎつぎにおかされ、えぐられているのを発見した。海面のすぐ下は、波にそぎおとされて氷壁となっていた。だがわたしにはキャンプ全体が危険にさらされているとは思えなかったので、隊員全部にはあえて知らせないことにした。夜通し強い北西風が吹きまくり、氷山をたたく波音が夜明けまでたえなかった。

　四月十一日の朝はどんよりと曇り、霧がでていた。水平線に靄がかかり、われわれの氷山のまわりは浮氷が密集しているために、波のうねりが高く、ボートもおろせなかった。おびただしい数の氷が、海面をおおっていた。その浮氷のすきまには、数知れぬ鯨群と、おそろしげに鋭い背びれを水面につきだして泳ぐサカマタクジラが潮を吹きあげていた。ウミバトやウミツバメ、カモメがわれわれの氷山のまわりをさかんに飛びまわっていた。ところが、ひとつだけ気にかかることがあった。われわれは海流にのっているうちに、クラレンス島とキング・ジョージ島とのあいだの、八〇マイルの水域を通りぬけ、広大な大西洋へと流されてしまうのではないか、ということであった。そうこうするうちに、われわれは氷のない海に近づき、正午には、狭いながらも航行できる長い水路が、南西の水平線にひらけたのだった。ようやくチャンスがおとずれたのだ。われわれは不安定にゆれうごく氷山の縁からボートをつきだし、氷山がうねりに乗ったとき海へのりいれた。ケアード号は下からもりあがる波をうけて、あわやひっくりかえりそうになったが、うまくたちなおって深い海へおろされた。急いでボートに物資と器材を投げこむと、われわれは即刻出発した。ケアード号とドカー号は帆をはり、運よく吹いていた微風をうけながら水路にそって進んでいった。船の両側では氷がぐるぐるまわっていた。

われわれは、オールで漕いだり、帆を張ったりして、西へと進んでいった。風はおもに東寄りであった。現在の位置をはかる正午の観測には非常な期待がかけられた。楽天家たちは、目的地まで六〇マイル進んでいると主張し、慎重家は三〇マイルぐらいに見積っていた。こうした予測がたてられたのも、しばらくぶりに太陽が姿をあらわし、さんさんと明るい光をはなっていて、あたりがすばらしい景色であったためかもしれない。

正午ちかく、わたしは、艇長のワースリイが、片手でマストをかかえ、ドカー号の舷側に身をもたせかけながら、太陽高度の測定をしようとしているのを眼にした。彼は六分儀《セキスタント》を太陽にむけてかざし、観測の計算をした。彼の仕事のおわるのが待ちどおしかった。やがて、ドカー号がケアード号のそばにやってきたので、わたしはその結果をみるために、ワースリイのボートへとびうつった。結果はまったくの失望落胆！　西方へ航行しているどころか、南東へ進んでいたのである。

九日に浮氷をはなれてから、東のほうへ実に三〇マイルもかたよっていたのだった。かつてこの海域で活動していたアザラシ猟者は、ベルジカ海峡には東へ流れる強い海流の存在することをのべているが、われわれが遭遇したのも、実はこれらの潮の流れのひとつだったのである。その原因は、喜望峰《ケープ・ホルン》岬の沖を吹く北西の強風であって、これがわれわれをたいへん苦しめた大波のもとである。わたしは、ワースリイとワイルドとに小声で相談したのち、予想していたような航行でなかったことを発表したが、われわれが逆行していたことを発表すると、不安をかきたてることになるかもしれないので、全員には知らせなかった。

気温は氷点下二〇度にさがり、海面には薄氷がはった。当直の監視につくとき以外は、われわれはたがいに身体を寄せあい、膝をこすりつけては暖をとった。体をくっつけあっていると、凍りついた衣服はそこの部分だけ氷がとけた。

すこしでも動くと、これらのあたたかくなった部分が骨をさすようなつめたい外気にさらされるので、なるべく動かないようにして、前途の希望や計画をたがいにささやきあった。ときたま砂のような小雪がちらついて、静かに海へかかり、またわれわれの体やボートのうえに、うすく白衣をきせかけるのであった。あきらかに南極の夏はおわりかけていた。

四月十三日の朝は、はればれと明け、ときどき雲が通りすぎていった。たいていの隊員の動作にも、いまでは過労の色があらわれていた。彼らの唇はひびわれ、潮をかぶった顔は眼が血ばしり、まぶたも赤くはれてみえた。若い人たちでさえ、そのひげが頰から顎を埋めるほどのびて、老人のようであった。それが凍りついて、潮のしぶきをあびて白くなっている。

わたしはドカー号をそばへよんでみると、乗組員たちはケアード号の連中よりいっそう元気のないことがわかった。われわれはあきらかに、一刻でも早くどこかに上陸しなければばならないのだ。わたしはただちに、もっとも近いエレファント島へいくことを決心した。風は、およそ一〇〇マイルはなれているあの岩の島へむかって、都合よく吹いていた。そして、ホープ湾からわれわれをさえぎっている浮氷は、夜のあいだに南のほうからまた凍結してしまった。

午前六時、われわれは別れ別れになるのを考慮して、三隻のボートに食糧を分配した。いまは、あたたかい朝食を用意することなぞは、とても考えられなかった。風は強く、波は高かった。われわれのまわりのゆるんだ浮氷は、たえず上下しながらたがいにぶつかりあった。つめたい食事をおえたが、わたしはだれもがなるべくたくさん食べるようすすめた。というのも、ひろい海へでたとき、ボートを軽くするために積みすぎの物資をすてることになりかねなかったからである。またたとえつめたい食事でも、十分とれば、あたたかい食物やあたたかいベッドの不足を、ある程度おぎなってくれるだろうとわたしは思った。しかし不幸にも、隊員のなかには、船酔いのため、余分の食事をとることのできない者もでていた。

われわれは氷のなかの狭い水路を通りぬけ、やがて正午ごろには浮氷群をあとにし、急にひろい海へとでた。海はくらい青緑色であった。ただちに帆をあげ、おりからの追風をうけて、あたかも失われたアトランティス大陸をもとめる三隻の古代バイキング船のように、波をのりこえて進んだ。帆綱をしっかり張り、陽は頭上にきらきらとまぶしいほど光り、われわれはしばしのあいだ、自由の感覚に酔い、海の不思議さを堪能した。そしてすぎさった日の苦痛と労苦をいやしたのだった。ついにわれわれは氷から逃れて、ボートで航走できる海へとでたのであった。日夜の苦労ですっかり忘れていた故郷のことどもが、また思いだされてきた。まだ乗りこえねばならない未知の苦難などは、ほとんど消えうせたかのように、エレファント島をめざしていた。

やがて、気温は氷点下にさがり、風は衣服をつき通し、耐えられぬほど寒くなった。その夜は、はたして洋上で無事にすごせるだろうかと、わたしはいぶかったのだった。ひとつ困ったことは、飲水のないことであった。われわれは浮氷帯から急にひろい海へでてしまったので、料理用にとかす氷をとる余裕もなかった。氷なしではあたたかい食事もとれなかった。ドカー号に一〇ポンドばかりの氷が残っていたので、これを各自に分配した。

われわれは氷の小片をのみこんで、潮のしぶきからくる喉の渇きからいくらか救われたが、同時に体温はいちだんと失われてしまった。たいていの者が、あわれにも憔悴《しょうすい》しきっていた。だれも口が腫れあがり、食べものはなかなか口へ入れられなかった。

夜通し、わたしはかわるがわるつれのボートをよんでは、その安否をたしかめた。彼らはいつも元気よく応答した。ウイルス号の一人が、「大丈夫だが、乾いた手袋がほしい」といってきた。残念ながら、彼は月をねだったほうがまだましだったろう。ボートで乾いているものは、からからに腫れあがった唇と、ひりつく舌だけであった。

喉が渇くのは、極地方の旅行者につきものの苦労のひとつである。氷はいくらでもとれるが、とかさねば飲みものにならないし、口のなかでとかせる量にはかぎりがある。浮氷のなかを難儀しながら漕いでいるあいだ、われわれはずっと喉が渇きとおしで、それが潮のしぶきをあびていっそうはげしくなった。寝袋があればすこしは暖かくもなるだろうが、それもはたされなかった。寝袋はテントの下にしばってあって、それは鉄板のようにかたく凍りついて、ガタガタふるえているわれわれの弱った力では、とうていひっぱりだせなかったのだ。

ついに夜明けとなり、朝のおとずれとともに天気は晴れ、南西の微風をうけてわれわれは進んでいった。すばらしい日の出は、この日がボート生活の最後の日であることを知らせていた。しだいに明るくなる朝の光のなかに、バラ色にそまったクラレンス島の峻峰は、壮麗な太陽の光がのぼってくることをいちはやく示していた。空は青色となり、波頭はこちよくキラキラと金色のまぶしい光を反映していた。われわれはがまんできないほど、おそろしく喉が渇いた。アザラシの生肉をかんで生血をすすると、渇きは一時いやされることがわかったが、生肉にすこし残る塩気のために、すぐまたいっそう喉が渇いてしまうのだった。こんなわけで、生肉は時間をおいてかむか、各自がやむをえないときにだけ、そうすることを許した。真昼間に眺めるクラレンス島は、北北西のほうに寒々とそびえ、峻厳そのものであった。島はワースリイが定めた方角にまさしくあった。これまで、浮氷のなかをつき進み、風と波のまにまに二昼夜もただよったあげく、二日にわたり推測航法をとるという困難な状況に遭遇したが、事故もなく航走してきた彼の正確な航海技術に、わたしは内心感服したのであった。

　われわれはエレファント島の南東側をさして進んだ。風は西北西で、できるだけこの風をうけるようにしたが、逆風気味のためボートはのろのろと進んでいった。夕闇につつまれるころになっても目的地はまだ数キロ先にあった。そのころから、波が高くなってきた。ふと気がつくと、ケアード号の背後のウイルス号を見失っていた。ときたま砕ける白波が、その存在を知らせていた。真暗闇になったとき、おくれたボートがはなれてしまったのかどうかわかるように、わたしはウイルス号を曳いていたロープを手にかけて船尾にすわり、夜通しそのままでいた。ロープは波のしぶきをあびるので、氷で重くなり、小さなわれわれのボートは波にもまれどおしだった。もし夜のうちに三隻がはなればなれになり、風にさからって漕ぐこともできなければ、クラレンス島の東側にむかって進み、そこでわれわれがくるのを待っていてくれと、わたしはウイルス号の人たちに知らせておいた。かりにわれわれがエレファント島に上陸できなかったとしても、第三番目のボートをあてもなく漂わせておくのはよくないと考えたからだ。

　きびしい夜であった。当直以外の者はボートの底にちぢこまって、濡れた寝袋にもぐったり、たがいの体をよせあったりしては、すこしでも暖をとろうとつとめた。風がはげしく吹きだし、海はみるみるうちに荒れ模様になっていった。ボートは強風にはげしくたたきつけられ、荒れくるう高波と闘い、帆は風をはらんでぶるぶるとふるえ、はためいた。夜がふけるにつれ、ときどき飛雲のあいまから月がのぞき、その一瞬の青白い光のなかに、風にかたむくボートを懸命にあやつりながらすわっている、亡霊のような隊員たちのやつれた顔がながめられた。

われわれはようやく島に接近した。月が雲にかくれても、流れおちるような氷河の急斜面に、その光が反映して、月のあるのがわかるのだった。気温はぐっとさがっていたが、不安な気持はそれ以上つのらなかった。というのも、前方にぼんやりとみえる土地が、安全の目標であったからだ。各自は心のなかで、これでもう苦労はおしまいだろうと、希望をいだいているようだった。すくなくとも、われわれは、自分たちの足でまもなくかたい土地を踏むことができるだろうと信じていた。

真夜中ごろ風向きは南西にかわった。このために島へいっそう近づくことができた。ドカー号がケアード号のそばによってきて、艇長のワースリイが、「隊長、わたしが先にいって上陸地点をみつけましょうか」と叫んだ。

彼のボートは、ウイルス号を曳いていたケアード号を追いこしていった。わたしは彼に、そうしてもよいが、わたしの船を見失わないように注意してくれと応答した。彼らが別れていくとき、雪がひどく降ってきて、ボートが暗がりのなかへ消えていった。わたしは彼のボートがみえなくなると、その夜はいつまでも不安が消えなかった。

海は夜通し波が高く、別れたボートの一行が無事に朝を迎えられるとは、だれも思えなかった。風の方向と強さは夜間でも感じられるが、波の高さは暗がりではなかなかわかりにくいものだ。こんなときは、いかに経験ゆたかな航海者でも、甲板のないあけっぱなしのボートでは、災難をさけられないのが当然かもしれないのだ。わたしはドカー号から信号がみえるように、信号ランプを帆にあてたが、返答はなかった。われわれはそのうちドカー号から返事の信号があるかもしれないと思いながら、暗がりのなかで風の吹くほうをじっとみつめていた。そして、ときどき信号をくりかえしだしてみた。

朝はどんより曇っていた。ちょうど午前七時に、エレファント島の断崖の直下にきていた。崖は、ボートの眼前で逆落しになって海にせまっていた。われわれは海岸沿いに北へむかっていった。上陸可能の岸をさがす全員の眼にはいってくるものといえば、垂直の懸崖や氷河の末端などであった。その切りたった絶壁には、波頭がはげしく打ちあたっていて、どうやっても上陸はおぼつかない悪所であった。

喉が渇ききってひりひりし、がまんできないわれわれは、氷片をひろいあげて、むさぼり吸った。

午前九時、島の北西の突端で、断崖の下に幅の狭い海浜状の岸があるのをみつけた。ウイルス号は軽くて操作しやすい船だったので、近くへよび、まず岩礁のすきまを通過させ、

エレファント島、断崖下にボートを曳き上げる

ケアード号よりさきに上陸できるかどうかたしかめさせようとした。わたしはウイルス号へ這いあがって移乗した。そのとき、沖からドカー号が帆をあげて船尾のほうへ近づいてくるのが眼にはいり、わたしは肩から重荷をおろした思いだった。

岸に接近すると、暗礁の存在を知らせる砕けた波の白い泡立ちが眼にはいった。ボートは大きなうねりを注意してさけながら、暗礁のあいだにある開いた水面のほうへウイルス号を進めていった。それから二、三度オールを強く漕いで波頭をのりこえ、岩石のちらばる浜のほうへボートをよせた。つぎの一波でボートはさらに先へおされ、ざざーっと船底を浜へのりあげた。こ

エレファント島に上ってはじめての食事

れが、エレファント島への史上はじめての上陸であった。そしてこの栄誉ある第一歩を、探検隊でいちばん若年の者にあたえたいとわたしは思っていたので、最年少のブラックバロウにとびおりるよう呼びかけた。しかし弱っていた彼は、ほとんど昏睡状態に近いようすでうずくまっていた。わたしは彼がおくれをとらぬように、多少手荒だったかもしれないが、彼を助けてボートからまっさきにおろしてやった。彼はすぐ波打際にへたへたと力なくすわってしまって動かなくなった。そのとき、わたしは急に、忘れていたことを思いだした。彼の足はひどく凍傷にやられていたのである。だれかがとびおりていって、彼を乾いた場所へ急いでひっぱっていった。それはブラックバロウにとって、かなり酷な仕打ちだったかもしれない。だがとにかく、彼がエレファント島に上陸した最初の人間であったことはまちがいない。そのときの彼は、そんな栄誉などほしくなかったかもしれないが。

われわれはストーブといっしょに、料理担当者や、燃料の脂身、だいじな粉ミルクの箱と数名の隊員を上陸させた。

それから、残るわれわれはふたたび引返して、ほかのボートが岩礁のあいだの水路を通りぬける水先案内役をひきうけた。全員が上陸しおわると、まずオールを柱にしてテントをたて、午後三時までには野営地の準備もおおかたととのった。テント用の本来の柱《ポール》は、荷物を軽くするために、浮氷のひとつに残してきてしまったのだ。たいていの隊員は、安心したのか、早くからぐっすりと深い眠りにおちてしまった。起されるのは、交代の当直につくときだけだ。動揺しない地上で寝るのは実に一年三カ月ぶりであった。当直の者は脂身ストーブを焚いているのがおもな仕事で、その間に自分の食事もこしらえ、寝るまえに夕食もととのえることになっていた。

翌朝――四月十六日――は、いちはやく、全員が元気をもりかえして活動をはじめた。やがて太陽は、水平線の雲をやぶってさんさんと光を投げかけた。われわれは濡れたものをひろげて乾かし、海浜は体裁をかまわぬジプシーたちのキャンプ場のような光景を呈した。長靴と衣服は、すでにかなりいたんでいた。

わたしはこれからの新しい野営基地をさがすため、ワイルドを指揮者として島の沿岸を調べさせることにした。彼とわたしは、アザラシのあたたかい焼肉と脂肪の朝食をとりながら、その探査行のこまかい点について打合せをした。

わたしがみつけたいと思う野営地は、波や風の危険がなく、ひどい冬の強風のさなかでも、安全に数週間、あるいは数カ月、一行が生活できる場所でなければならなかった。

ワイルドは、隊員中元気でいちばん適任とおもわれるマーストン、クリーン、ビンセント、マクカーシイの四名をつれて、沿岸を西へ進んでいくはずであった。もし彼が日ぐれまでに帰らなかった場合は、この浜の水路に帰還の目標用の燈火をあげることにした。ウイルス号は午前十一時に出発し、島をまわってたちまちみえなくなった。それからハーレイとわたしは、浜づたいに西方へ歩いていき、断崖と孤立する大きな玄武岩の岩峰とのあいだの切目をのぼっていった。幅のせまい浜辺は、断崖からおちる岩のかたまりとくずで、一面ごろごろしていた。われわれはワイルドらの調査がもし失敗した場合を考えて、ボートをひきあげられるところで、半永久的な野営地になるような場所はないものかと、二マイルばかり岩づたいに強行軍をしてさがしてみたが、三時間後には、なにも得るところなく、重い足どりで引返さねばならなかった。

夜の八時ごろ、遠くのほうで叫び声がきこえた。なにもみえなかったが、やがて暗闇のなかから、青白い亡霊のようなボートがあらわれた。そして、人々の顔が焔に映えて白く照らしだされた。ワイルドは岩礁をたくみに抜け、うまく波にのってボートを浜につけた。われわれはすぐボートを安全な場所へひっぱっていった。わたしは彼の報告が待ちどおしかった。

彼らが西方七マイル余のところで、砂洲を発見したことを知ったとき、わたしはすっかり救われた思いだった。それは海岸と直角に二〇〇ヤードばかりつきでている砂洲で、先端は岩塊になっているという。

四月十七日の朝は快晴に明けた。海はなめらかであったが、遠くに白い浮氷の線が望まれ、それがだんだん沖から近づいてくるように思われた。氷の出現で、即刻移動する必要を感じた。この危険な海岸で氷に幽閉されでもしたら、たいへんなことになるだろう。いそぎ浅瀬にボートを浮べ、朝食もそこそこに、全員懸命に食糧や装備品を船に積みいれた。あわてたわれわれは、ボートを浮べるとき、思わぬ災難をまねいてしまった。オールを転《こ》子《ろ》に使ったところ、重みでかけがえのない三本のオールが折れてしまい、これから先の船旅が心細くなってしまったのだ。

移動の準備は思ったより長くかかった。実は、この荒れはてた小さな海浜の避難地を去って、ふたたび海洋へのりだすことを、隊員たちのある者はいやがっているようだった。だが先のことを思うと、移動を中止するわけにもいかなかった。午前十一時までに、ケアード号を先頭にわれわれはこの地を去った。

岬付近の浅い海には、水面にわずかにでた岩礁やかくれた暗礁が点在していて、それらに打ちよせる波がまっ白くくだけちっていた。わたしはいちばん平らそうな海浜へ、ウイルス号を最初につけるよう命じた。ボートはまもなく岸辺に近づき、人々はとびおり、退く波にそなえてボートをつかまえた。船が安全なのをみとどけるや、わたしはつづいてケアード号を進めた。一人が波打際をかけあがっていって、ボートが波にさらわれないように、ロープを岩にまきつけた。それから積荷をおろしにかかった。もっとも重いケアード号は、空船にしないとひきあげられないので、全員は一生懸命に働いた。料理係は急いで脂身ストーブを焚いて、あたたかい飲みものをこしらえた。

われわれがボートのことで骨折っているとき、リケンソンの顔が青ざめ、ふらふらになっているのにわたしは気がついた。わたしはすぐさま彼を波のこないところへひっぱってきて、岩の避難所のストーブのそばに寝かせた。医師のマクイロイの診断によると、過労のあまり心臓が衰弱しているとのことだった。ただちに治療をほどこして安静にする必要があった。隊員は自分の仕事以外にもたくさんの作業をかかえ、体力以上の無理をしてがんばっていたのだ。リケンソンもこうした熱心な人たちの一人で、彼は探検隊の他の多くの隊員と同様、食糧事情や海水にやられて病気になったのだ。われわれの手首や腕や足なども、皮膚炎症にかかっていた。氷のようにつめたい海水にたえずひたされていたり、しめった着物でいつもこすりつけたり、塩気にさらされたりしていたためにちがいない。

わたしは残る一隻のドカー号のことが、たいへん気がかりでならなかった。われわれが物資を運んでいるあいだも、わたしの眼と心は東のほうにむけられていた。やっと一時間ほどして、別れたボートは白波のたつ海を苦労しながら乗りきってあらわれ、そしていく

病人を看護する。エレファント島にて

らか静かになった湾にはいってきたのだった。

岬は、考えていたような理想的な野営地ではなかった。そこは、岩と小石におおわれた一エーカーばかりのところで、風に吹きさらされて荒れはてていた。そして背後の氷河へつづく陸地側の境の雪の傾斜地をのぞけば、あたりはいつも白波が打ちよせている荒涼たるところで、きびしい極南の風土が重苦しくわれわれのうえにのしかかっていた。しかし、大きな岩塊がいくらか風を防いでいて、ある程度の避難場所を形成していた。けむい煙を顔にあびても、脂身ストーブのまわりにあつまるときは、だれもが楽しい気分になった。

とにかく、これで帰国の旅への一段階がなしとげられたのである。もちろん不安と苦しみは消えたわけではないが、将来の問題をしばし忘れることができた。生活はそれほど不愉快なものではなかった。氷河の表面から吹きおろす粉雪のなかで夕食をすませると、寒さにちぢかんだ体もあたたまってきた。それからストーブですこしばかりの煙草を乾かし、パイプを楽しんでから、おのおのテントへもぐりこんで眠りについた。

翌朝は朝から南の強風で、吹きだまりの雪があらゆるものを隠してしまった。外は殺風景きわまるものであったが、なさねばならぬ作業が山積しているので、寝袋のなかにいるわけにはいかなかった。高潮地点より上のほうの岸に、象《エレファント》アザラシの群が寝そべっていたので、われわれはその若いのを数頭射殺し、肉と脂身をとった。

大型テントにかわるものがなかったので、避難所をつくるために、ドカー号をひっくりかえし、その風側に石を積みあげて壁をつくった。綱をいちばん大きな岩にしばりつけて、ボートが風で動く危険をふせいだ。

海氷と氷河から落下した氷があつまっている海面に、飛ばされた布の袋が二つ、岬の風のあたる側へとぶかぶか浮んでいたが、そこへはいけそうもなかった。

終日強風が吹きまくって、氷河のうえから雪煙がたち、空からも雪が乱舞する、暗いつめたい一日であった。

わたしは、ここがこれからの冬を迎えるのに適しているかどうかをたしかめるため、くわしく岬を調べてみた。その日の朝八時、リング・ペンギンが順序正しくならんで海辺にあつまっているのに気づいた。これは毎日、彼女らが魚とりにでかける用意をしているのだと思ったのだが、そうではなかった。彼女らは、移住していくところだったのである。

彼女らが出発してしまえば、われわれは貴重な食べものを失うことになると気づいた。あわてて、ソリの滑走板《ランナー》のこわれた板きれや、ありあわせの棒を武器に、ペンギンの巣めがけて出発した。だがわれわれの行動は遅すぎた。利口なペンギンのリーダーは、ギャーギャー声でみごとに指揮をとり、一隊は隊伍整然と海へいってしまった。

彼女らはリーダーにしたがい、海へとびこんで、荒海へ悠然とでていった。ごくわずかの弱いやつだけが、おどろいて浜へもどってきたが、彼女らはあとで、われわれの胃袋の犠牲となったのだった。大群の本隊のほうは北に移住してしまって、その姿は二度とあらわれなかった。別種のジェントー・ペンギンもリング・ペンギンの例にならうのではないかと思ったが、彼女らは島にとどまっていた。ジェントー・ペンギンには、移住の習性がなかったのである。

第一号テントは断崖に近いところに張られ、エレファント島にいるあいだ、わたしはそこで起居した。近くにクリーンのテントがあり、下の雪をすっかりとりはらった他の三張のテントも、そこから数メートル先にあった。第五号のテントは、いまにも倒れそうな恰好だった。というのも、オールを利用した粗雑な骨組に、すりきれて破れた八人用のテントをかぶせたものだが、そこに住まう者には気の毒なほど貧弱な隠れ小屋だった。

四月十九日の朝は、まだ天候が回復しなかった。隊員のなかには、気持がめいり気分をくさらせている者もでてきた。作業につく時間がきても、テントからでようとしなかった。

きっと彼らは、われわれをしっかりした土地でなんとか安全にすごせるこの場所へつれてきてくれた幸運のことよりも、現在の不愉快なことを考えているのだろう。失意の隊員たちがわたしにみせた手袋や、着ている衣服のありさまは、身につけているものなどには無頓着な水夫気質をあらわしていた。

夜半には、物はこちこちに凍りついてしまうのだ。それで、その持主はこれを苦情のもとにするのだが、いずれにしても、彼らはなにか不平をこぼさねばがまんできなかったらしい。彼らは乾いた衣服がほしい、これ以上の作業は健康がゆるさないといいはるのだった。強硬な手段をとって、はじめて仕事にとりかかるということもあった。たしかに、凍りついた手袋や帽子は気持の悪いものであるが、夜のうち、寝袋やシャツの内側に入れてとかすのが、最良の方法であることを知っていたはずだ。

はげしい雪をともなった南からの強風が、ひどくたたきつけてきた。ちょうどわたしは、一頭のアザラシをしとめるために、岸沿いに歩いていたとき、突然疾風に体のバランスがくずれ、吹きとばされてしまった。同時に第二号テントの炊事鍋も、海へ吹きとばされていった。それらを守るために上にのせておいた食糧箱も、強風でひっくりかえってしまった。さいわいこれらの鍋は、必要欠くことのできないものではなかった。脂身ストーブのうえで料理していた別の鍋もあったからだ。南極大陸からの暴風の冷酷な刃は、海岸のあらゆる割目をさがしもとめ、われわれのすりきれた衣服や、ぼろぼろのテントを、休むことなく吹きさらしにし、鞭のような寒風が身体につき通してきた。氷河からまいあがる雪と、空から吹きまくる雪は、われわれや散在している装備をつつみ、疲れと満ちたりない単調な食事でともすればふらつく脚では、風にさからうこともらくではなかった。

荒れはじめた海は、すさまじい勢いで岩や岸の砂礫を打ち、ボートから二、三フィートたらずの近くまで、砕氷と飛沫を投げつけてきた。

ある朝、いちど、飛雲をすかして太陽が金色の光をまぶしく照らし、めずらしく澄んだ紺碧の空をちらと眺めたことがあった。しかしこの南緯六一度にある島には、晴天はほとんど約束されなかった。探検家は陰惨な気候に耐え、だれもがいっしょに生きぬいていかねばならないのだ。

ジェームズ・ケアード号の航海

海が荒れだし、高潮がおしよせてきた。そのためボートをもっと浜の高所へひっぱりあげねばならなかった。これには隊員が総がかりであたった。たいへんな作業だったが、ボートをなんとか岩のなかの安全な場所に移し、ロープで大きな転石にしっかりとしばりつけた。それからわたしは、冬がきて海にとじこめられてしまう前に、南ジョージア島へ到達するチャンスがないかどうか、ワイルドおよびワースリイと検討した。いまや、救援をもとめるため、あらゆる努力をはらわなければならなかったのである。隊員たちの様子には、強い疲労の色があらわれてきている。しかも数名の者の健康と精神状態は、かなり深刻なものになっていた。ボートでの航海中、凍傷をうけていたブラックバロウの足が悪化していて、二人のドクターは手術の必要をみとめ、もし短期間内に血が通うようにならなければ、彼の足指は切断しなければならぬだろうとわたしに語るのだった。食糧の補給もまた重大な問題であった。われわれは島の最初の野営地の岩の割目のなかに、十箱の食糧を残してきていた。貯えを調べてみると、五週間はもつだけの食糧があった。それに食べる量を減らせば、三カ月は食いつないでいくことができるだろう。たぶんある程度はアザラシや象アザラシでおぎなうことも可能だろう。しかし動物の肉と脂身の補給をあてにするつもりは、実際のところなかった。おそらく動物たちは餌のとぼしい海岸からどこかに去っていったのだろう、その姿もみられなかった。冬も間近にせまってきていたからである。われわれの貯えには、三頭のアザラシと、脂肪がついている二頭半分の皮が残されていた。こうした事情をだいたい調べたのち、わたしはあたたかい食事は一日一度に制限することにきめた。寒さと飢えをしのぐ生活に、たったひとつの楽しみともいえる熱い飲みものやあたたかい食物を十分とることができないことなどは、これからの未知の苦難にくらべれば、まだまだがまんのできることであった。

救援をもとめるためには、なんとしてもボートをださなければならなかった。これは瞬時の遅延もゆるされないことだ。救援がえられるいちばん近い港は、おそらく南米の東南端に近く五四〇マイルの距離にある英領フォークランド諸島のポートスタンレイなのだろうが、われわれが、この小さなこわれかかった貧弱なボートで、強い北西の卓越風が吹きまくっている海を無事に航海できる望みは、実のところほとんどなかった。一方、大洋のただなかにある南ジョージア島は八〇〇マイルも遠くはなれてはいたが、そこは西風の地域にはいっていて、島の東海岸にある捕鯨基地で、捕鯨者たちをみつけられる見込みがないでもなかった。もし海に氷がなく、ボートが亜南極の大洋をうまくのりこえて航海できるなら、一カ月以内に救援隊といっしょに島へ帰ってくることも可能なのだ。

そこで南ジョージア島を目的地にきめたほうが、フォークランド島にむかうよりは賢明なのではないかとわたしは考えた。そういうわけで、さっそく手段方法についての計画を練ることにした。

南氷洋につづく荒れくるう亜南極の八〇〇マイルの海路をボートで航海することが、きわめて危険なことはあきらかであった。しかし、たとえわれわれが最悪の事態におちいったとしても、島に残る人々が危険にさらされるわけではないのだし、一にも二にも決行あるのみと、わたしはかたく心に誓った。手持ちの食糧も、冬中残留者だけで食べるなら、量もすくなくてたりるだろうし、ボートの航海も、六名だから、一カ月分の食糧を用意すればなんとかたりるだろう。

この航海は、だれもが非常に危険だと思っていたので、計画はかなり慎重に練らねばならなかった。そうした危険をおかすのも、われわれの現状がどうしても救援を必要としていたからであった。五月半ばごろの喜望峰《ケープ・ホルン》の南側の大洋が、世界中でも名だたる恐るべき荒海のひとつであることは、船乗仲間にひろく知られている。そのころは天候が不順で、空には低く雲がたれこめ、ほとんど強風のたえまがないのである。われわれは、すでにこれまで氷海の航海ですっかり使いふるしたこの小さなボートに乗り、こうした悪条件にぶつからねばならなかったのだ。ワースリイとワイルドの二人も、この航海はなんとしても敢行する必要があると考えていた。そして彼らは二人とも、自分こそわたしにしたがって航海にのりだしたいとひそかに願っていた。わたしは彼らに、両人のうちどちらかが責任者としてあとに残らねばならないだろうと告げた。わたしの留守のあいだ、一行を統率し、しかもわれわれが救援に失敗したときは、春になってから、残る隊員らといっしょに、ディセプション島へ渡るよう、ワイルドに依頼したのである。ワースリイはいっしょにつれていきたかった。なぜなら、彼の航海者としての優秀な技倆と、とくに逆境につよい彼の性格を、わたしは高く評価していたからだ。――これはこの航海でそう感じたのであった。ほかにさらに四名が必要だった。そこで、実はだいたいの仮選定をして、人選はほぼきまっていたのだが、いちおう希望者を募ることにした。クリーンは、ワイルドの右腕として島にとどまるように、ひそかに考えていたのだが、彼はボートに乗組みたいと熱心に志願してやまなかったため、わたしはワイルドと相談した結果、とうとう彼をつれていくことにした。

わたしは一同をあつめて、自分の計画を説明し、希望者を募った。すぐさま多くの隊員が同行を申しでた。なかには航海にまったく適さない人もあり、またこの探検生活の経験で、ある程度、船員としての体験をつんだものの、本職の船乗ではないため、危険なボートの長途航海にはたいして役立ちそうもない人までも、さかんに同行を申しいれてくるのだった。ドクターのマクイロイとマクリンは二人ともいきたがっていたが、二人の仕事としては、島に残って病人を看護するほうがより大切である。そう説明したところ、二人は思いとどまってくれた。彼らは医者としての立場から、できるかぎり早くブラックバロウを南ジョージア島の人が住むところへつれていってあたたかくしてやる必要のあることを、わたしに説いたが、この考えはしりぞけねばならなかった。それというのも、ボートでの起居は、身体の満足な者でも難儀なことである。そのうえ、この航海では悪天候に苦しめられるだろう。狭い船底で看護もうけられず横たわる病人が、どうしてこの苦しみを耐えしのぶことができるだろうか。わたしは結局、マクネイシュ、マクカーシイ、ビンセント、それにワースリイとクリーンの五名を選定した。

以上の乗組員はまことにたのもしげだった。彼らをながめていると、わたしはなんともいえない自信がわいてくるのを感じるのだった。

決断はくだされた。わたしは吹雪のなかをワースリイおよびワイルドといっしょに、ジェームズ・ケアード号を調べにいった。この六メートルのボートは、どうみても決して大きくはみえなかった。新しい航海のことを考えると、ボートが妙にちぢんでみえてくるのだった。ボートは頑丈なつくりの捕鯨用ボートであったが、外板にはエンデュアランス号の沈没以後にうけたいくつもの傷痕がきざまれていた。

浮氷をはなれるときにうけた穴は、さいわいにも吃水線のあたりだったので、これは箇単に修理できそうだった。

わたしは船のそばに立って、これから渡っていくことになる荒れさわぐ海に、ちょっと眼をうつした。まちがいなく、われわれの船旅には一大冒険が待ちかまえている。わたしはすぐ船大工をよんで、ボートをなんとかもっと航海にたえられるようにすることはできないかときいた。彼はまずはじめに、隊長といっしょに自分もいかれるかとたずねたが、わたしが「イエス！」と答えると、真からうれしそうな様子で握手の手をさしのべてきた。彼はもう五十歳をこえ、この危険な大航海にはまるっきり適さなかったが、ボートについての知識は深く、五十歳とは思えないすばやい身のこなしをしていた。マクカーシイは、木箱のふたと、グラハムランドのウイルヘルミナ湾に上陸した場合つかうつもりで、ボートのなかにしばっておいた四台のソリの滑走板《ランナー》をつかってもよいなら、なんとかケアード号の波よけのカバーをつくれるだろうといった。一時、われわれの目的地になっていたこの湾は、漂流中に通りすぎてきたのだが、滑走板《ランナー》はそのまま残されていたのである。船大工は、甲板兼波よけの材料として、カンバスもいくらか使いたいといって、ただちにその計画にとりかかった。

四月二十一日、悪天候はさいわいにも一時とぎれた。船大工は、ケアード号の甲板にする資材をあつめにかかった。彼はスタンコム・ウイルス号の帆柱を利用して、ケアード号の竜骨を補強し、船体が弓型にまげられないように――つまり荒海にもまれても折れないように頑丈にした。

実のところ、本格的な甲板をつくるだけの材料はなかった。ソリの滑走板《ランナー》や箱の板きれをつかって、前甲板の後部から入口までの骨組をこしらえた。できあがりはまったくつぎはぎだらけのものになったが、いちおうカンバスをかぶせるにたる骨組にはなった。探検隊には、こちこちに凍りついたカンバスがあったが、これを切ってアザラシ脂のストーブのうえで順々にとかし、それらを縫いあわせて一枚のカバーに仕上げなければならなかった。それをきっちりと釘とネジでとめたとき、一見それは花崗岩の壁のようにがっちりしてみえるのだったが、実はカンバスと木舞《こまい》だけの、ちょうど舞台の道具立によく似た、表面だけのものにすぎないと、わたしはいささか心もとなく思ったのだった。しかしボートはいちおう、たしかに安全なものとなった。事実、その被いは航海中十分に目的をはたしてくれた。これがなければ、われわれはこのひどい荒海をのりこえることはできなかっただろう。

四月二十三日、天候は快晴で、いそぎ準備をすすめた。この日、わたしはついにジェームズ・ケアード号の乗組員の編成を最終的に決定した。ワースリイ、クリーン、マクネイシュ、マクカーシイ、ビンセント、それにわたしを入れた計六名である。

正午ごろ、飛雪と強風をともなう一陣の暴風雪がやってきた。ときどき雲がきれて見通しがきくようになり、五マイルの沖に浮氷帯の線がみえた。浮氷が東西にわたって押しやられているのを眺めて、はやく出発したいと考えた。南極の冬がおしせまっていたので、近い将来、島の周囲が突然に浮氷でとざされ、数日も数週間もわれわれの出発がのびるおそれがあった。ただ氷が冬中いつまでもエレファント島のまわりにびっしり残ったままとは思えなかった。強い風と速い海流で、氷が動かされるからである。浮氷と氷山は、四ノットか五ノットの速さで動いていることがわかっていた。近くの岬の先端のあたりには、いくらか固定した氷もあったが、ボートをおろそうとする前面の海には氷がなかった。

ワースリイとワイルドとわたしは、見張所とよんでいる海へつきでた高い岩の頂きにのぼって、氷の状態を調べた。外側の浮氷帯は氷が小さくくだけていて、ボートをのりいれるにはさしつかえないようであった。状況さえよければ、明朝にはケアード号で出発できるだろう。このチャンスをのがせば、浮氷はきっといつかは密着するにちがいない。こう判断して、わたしはボートの船体、備品、貯蔵の品目などを調べ、計画を練りながらその日の残りをすごした。

エレファント島のしっかりした土地でおくる最後の夜は、寒くて快適なものではなかった。われわれは、夜明け前に起きて朝食をとった。それから、まずスタンコム・ウイルス号を磯におろし、それに貯えの食糧や装備、バラスト用の砂袋などをいちおう積みこんだ。重いケアード号を空船でおろしてから、海上でそれらの荷を積みかえるつもりだった。砂袋は毛布でつくり、砂をいっぱいつめ、全重量はおよそ一〇〇〇ポンドであった。これでも不足気味なため、さらに海岸にころがっている玉石を加え、二樽の飲料用淡水を用意し、さらに不足をおぎなうため二五〇ポンドの氷塊まで加えた。
ジェームズ・ケアード号に積載した六名の一カ月分の品目は、つぎのものであった。

マッチ　三十箱
燃料用パラフィン　六・五ガロン
メチルアルコール　一罐
火焔燃料　十箱
プリマス・ストーブ（炊事用石油コンロ）　二台（予備部品と火口掃除用の針をふくむ）
青色信号燈　一箱
炊事用ナンセン型クッカー　一台
寝袋　六人分
予備靴下　若干
ロウソクと袋入り油脂　若干

〈食糧〉
ソリ旅行用定量食　三箱、三百食分

乾燥果実　二箱、二百食分
船舶用ビスケット　二箱、六百個
角砂糖　一箱
粉ミルク　三十包
角型牛肉エキス　一罐
セリボス食塩　一罐
飲料水　三六ガロン
氷　一一二ポンド

〈器機類〉
六分儀《セキスタント》、双眼鏡《ビノクラース》、航海用羅針儀《ナビゲーションコンパス》、沖錨《シーアンカー》、晴雨計《バロメーター》、海図《チャート》

スタンコム・ウイルス号をおろすころには、波のうねりもすくなくなり、らくに海に浮べることができた。だがそれから三十分後、ケアード号を曳きおろすころには、急に波が高まってきた。そのため、外側の氷が動いて口がひらき、氷のない海がひろがってきたが、うねりのほうが大きくなってきたため、作業は厄介だった。ケアード号を曳きおろすうちに、人々は腰までずぶ濡れになってしまった。冬も間近いこの気候では、これはたいへん

ジェームズ・ケアード号をはじめて海へ

なことであった。ケアード号が波打際に浮びかかったとき、打ちよせてきたうねりで船は岩礁のあいだにおし流され、あっというまに傾いてしまった。甲板に乗っていたビンセントと船大工は、海へどぶんと投げだされた。まったく不運であった。なぜなら、出帆後、二人が衣服を乾かす機会などはほとんどなかったからだ。この「事件」がおきたとき、写真の心得のあるハーレイは、すかさずひっくりかえった場面の写真をものにした。彼は、その「スナップ」写真をもっととるために、不運な二人がもっと海のなかにいればよいがと思ったにちがいない。しかしわれわれはそれにはかまわず、すぐさま彼らを水からひきあげたのだった。

ケアード号は、やがて磯波をのりこえ、岸からはなれた。ロープをもやい綱にして、船が北東へ流されるのをふせいで待つうちに、ウイルス号が近づいてきて、荷物を移しおえた。

ケアード号は、正午までに航海準備をととのえた。ビンセントと船大工は、残留の隊員と交換して乾いた衣服を手に入れた（あとで聞いたのであるが、島で濡れた衣服がすっかり乾くまでには、まる二週間かかったということだ）。乗組員は纜《ともづな》をとく命令をまっていた。おだやかな西の微風が吹いていた。

わたしはウイルス号でいまいちど海岸にもどり、ワイルドと最後の言葉をかわした。彼は今後わたしにかわってすべての指揮をとり、われわれが救援にくるのに失敗した場合は、みずから指揮をとって行動することになっていたが、わたしは事実上、すべての状況や、行動の範囲や、決定などについては、彼の賢明な判断にまかせたのである。わたしは彼に隊のことを託し、島の隊員ら一人々々に別れをつげ、かたい握手をかわした。

わたしは、沖のケアード号にもどっていった。二隻のボートがたがいに触れあったとき、ウイルス号の乗組員たちとわれわれは手を握り肩をたたきあった。彼らは激励と別れの挨拶をのべてくれた。それから帆を張り、北東の針路をさして進んでいった。この残忍な島の自然を背に、残留組の人たちが海浜にたよりなげなひとかたまりとなって立っているのがみえた。

その足もとには波がざあざあと沸きたっていた。彼らは手をふって、心からの万歳を三唱してくれた。彼らは希望をいだき、われわれの救助を心から待っているのだ。

わたしは帆をすべて張った。するとケアード号はたちまち速度をまし、前後にピッチングしながら走りだした。海岸の黒い線がゆれうごき、人々の姿は豆つぶのように小さくなり、やがてみえなくなってしまった。われわれは西風をうけて、みるまに浮氷帯のなかへはいった。わたしはマストに腕をまいて立ちあがり、波のまにまにゆれうごく大きな氷塊をさけるために、船の指揮をした。しだいに浮氷が厚くなり、東へ針路を転じなければならなかった。風をうけながら、今朝島の高地から眺めた浮氷帯の開口部へとむかった。開き口はみえなかったが、われわれはその方向へ進んでいった。おそらく開口部は流動によってかわったにちがいないと思った。午後四時、小さい水路をみつけた。それは朝ながめたときよりずっと狭くなっていたが、通過できそうだった。帆をおろして、氷に触れないように、漕いで通過した。午後五時半、われわれの眼前に、浮氷のないひろい海がひらけてきた。

つづく十六日間は、荒海のまっただなかの、はげしい闘争の物語であった。亜南極の冬の海は、そのおそるべき評判にふさわしいものであった。

わたしは、すくなくとも二日間は、風をうけて北へむかい、いくらかでも温暖な気候の海域にでてから、東方に転じて針路を南ジョージア島にとることにきめた。われわれは二時間おきに当直につき、舵をとった。非番の者は湿った船底の寝袋にもぐりこんで、いっときでも苦労を忘れようとした。だがボートのなかは、狭苦しく居心地がわるかった。休息をもとめるわれわれの体にとって、寝袋や荷箱はがたがたとおちつきがわるく、まるで意地悪をしているようにわれわれを苦しめた。

ちょっとらくな位置があったと思うと、すぐバランスがくずれて、筋肉や骨がいためつけられるのである。ボートの最初の夜は、まったく陰鬱だった。夜が明けて、あたたかい朝食の用意にかかったときは、うれしくなって元気がわいてくる思いがした。

南ジョージア島への航海記録は、身動きもできないほど窮屈なケアード号のなかで書きいれた、粗末なノートによるものである。

ノートには、航走距離、船の位置、天候などを記録したのみであるが、われわれはすぎさった苦難の日々の多くのできごとを、はっきりとおぼえている。これらは忘れようとしても忘れられないだろう。

最初の二日は北へ針路をとり、わずかでもあたたかな気候をもとめて進んだ。おそらく、この浮氷のさきに、別の浮氷帯があるだろう。それをさけたいと願った。われわれは大圏コースをとって、いくらかでも高緯度航海の便益をえようとしたが、氷の流れについても注意をおこたることはできなかった。狭い場所におしこめられ、たえず波のしぶきをうけて濡れたため、航海中は寒さでひどくふるえていた。

われわれはくる日もくる日も海と風と闘い、生きるために奮闘してきたのだった。ときにはおそるべき危険におちいったものの、総じて、われわれは南ジョージア島の方向へ進んでいるのだという思いで、勇気づけられていた。

そして、気ままにあばれまわる傲慢な巨濤を、不安の気持で眺めるというよりもむしろ好奇の目でみまもりながら、狂乱の大洋をのりこえ漂う日夜でもあった。その起伏する波浪の深みは大きな谷間のようだった。

ボートが巨浪の頭に一瞬とまったとき、それは高い高い丘の頂きのようだった。

ほとんどたえまなく強風が吹いていた。孤独なケアード号は小さく、海は広大だった。波頭と波頭のあいだの静かな低い谷間では、ボートの帆は、しばしば力なくいたずらにばたばたとはためくばかりだった。それから、ボートはつぎの波の山にのぼり、すごい強風をまともにうけるのだった。するとわれわれのまわりに綿毛のような白波が砕けとんだ。

われわれはときに大笑いすることもあった。──それはめずらしいことであったが、腹の底からでてくる笑いだった。ひびわれた唇と腫れあがった口が、みなをいっそうしかめっつらにするようなときでも、われわれはすこしばかりの冗談をとばすことを忘れなかった。人がユーモアを感ずるのは、仲間がちょっとした失敗などをしたときであるが、あるとき、ひっくりかえって落ちた熱いアルミニウムの組鍋を、炊事用のプリマス・ストーブの上にのせようとしたワースリイの奮闘ぶりが忘れられない。凍傷で腫れた指で、彼はそれを不細工にひろいあげては落し、またひろいあげて、あたかもこわれやすいご婦人がたの品物のように、おっかなびっくりもてあそんだのだ。彼のしぐさがあまりにおかしかったので、われわれはとうとう大声で笑いこけてしまった。

エレファント島を出発してから三日目、風が強くなってきた。それが北西の強風にかわり、時化《しけ》模様となった。ケアード号はこの荒天のなかを、ひたすら東へ直航した。波が荒れだすと、甲板の弱いことがわかってきた。たえまない強風で、箱のふたやソリの滑走板《ランナー》でささえられた甲板はゆれうごき、カンバスは凹んで海水がたまるようになった。波のしぶきばかりでなく、水滴がボートの前後あらゆるところからなだれこむように漏ってきた。ボートのなかはどこにも乾いた場所はなくなり、ついにわれわれは頭から防水布をかぶって、水の総攻撃をこらえるほかはなかった。バケツで海水をかいだすのは、当直者の仕事だった。しかし、ほんとうの休息などはだれにもなかった。ボートはたえずゆれうごいて、休むこともできず、寒さで体が痛み、不安で胸は重くふさがれていた。うすぐらい甲板の下を、われわれは這いつくばって動いた。午後六時までにあたりは真暗闇となり、たがいに姿がわかるようになったのは、翌日の午前七時になってからであった。ロウソクは数本あったが、それらは食事のときにつけるように、大切に保存してきたものであった。ケアード号には、船首の部分の丈夫な甲板の下に、乾いたところが一カ所あり、そこで貴重なビスケットを海水からまもることができた。だが、航海中はあらゆるものが海水をかぶり、口のまわりに塩っぽさをおぼえないものはだれもいなかったと、わたしは思っている。

当直が交代するときには、わたしは船のなかをどう動くか、いちいち名前をよんで指示しなければならなかった。それというのも、もし全員がいっしょに動けば、大混乱におちいるばかりでなく、荷物の角や船材で、多くの打撲傷をうけることになったであろう。それにボートのつりあいを考えねばならなかった。

当直は四時間交代で、三名の者がこれにあたった。一人は舵ロープをもち、一人が帆につき、一人はできるかぎり水あかをかいだすのだった。新しい当直が風と波しぶきのなかでふるえているあいだ、役目をおえた者は、いそいで濡れた寝袋のなかへ手さぐりでもぐりこみ、前にもぐっていたものの温みをすこしでも盗みとろうとした。ところが、当直にでてゆくときは、この楽しみさえ味わえなかった。バラスト用にボートの底にのせた重い玉石は、ボートのバランスをとったり、また寝袋や毛皮靴から抜ける毛でつまった排水ポンプを使いやすくするために、たえず動かさねばならないはめになった。トナカイ皮の四つの寝袋は、いつも濡れているので、自然に毛は抜けおちて、ただの皮袋になってしまった。かがんだまま玉石を動かすのは、骨の折れる厄介な仕事だった。われわれは石のひとつひとつを、いつも見たり触れたりするうちに識別できるようにさえなった。わたしは今日でも、それらの角度の特色をありありとおぼえている。石は地質学上の標本として、科学者にはかなり興味があるものであろう。それらはバラストには役立ったが、せせこましいボートの船底で動かす重量としては、まったく手にあまるしろものだった。このエレファント島の重い玉石は、必要なものではあったが、われわれの弱った身体のことは、すこしも容赦してくれなかった。

ほかに困ったのは、七カ月もかえずに着ている濡れた衣類のために、脚の皮膚がすれてしまったことだ。内股がひどくただれて、薬品箱のワセリン・クリームのチューブ入りも、痛みどめにきかなくなっていた。その痛みは、海水の塩分のためによけいにひどくなった。そのころ、われわれは満足に眠れたとは思えない。それというのも、痛みに耐える声やうめきで、すぐまた起されて、気分をこわされ、うとうとするだけだったのだ。わたし自身も神経痛がひどくなり、いっそう不快になった。もともとこれは、数カ月前、浮氷上にいたときからかかっていたものだった。

時化とはいえ、食事だけは正しくおこなわれた。この点についての配慮は、いちばん大切なことであった。なぜなら、航海の成否はわれわれの体力にかかっていたからだ。午前八時の朝食は、ボブリル商会製のソリ旅行用の定量食でこしらえたあたたかいコップ一杯のシチューと、ビスケット二枚、角砂糖すこし、などであった。昼食は午後一時にとり、前記のボブリルのソリ旅行用定量食をそのまま食べ、各人にコップ一杯のあたたかいミルクがついた。午後五時のお茶の時間も、これと同じメニューであった。それから夜食に、たいていミルクのあたたかいのを飲んだ。とぼしかったとはいえ、これらの食物と飲みものでえられる暖かさとここちよさは、乗組員をいちおう楽天家にしてくれた。寒い荒天下にあって、食事は、ただひとつの楽しいひとときであった。われわれには緊急の場合にとっておいたヴィロールの二罐があった。だが、ロウソクをおぎなうために油ランプが必要となり、その一罐を空にし、それにカンバスの小切れをよってつくった芯をとりつけた。この即製ランプに油をみたすと、風には消されやすかったが、かなり明るい光となって、夜は大いに助かった。燃料については、六・五ガロン近くの石油があったので、なんとかたりそうだった。

六日目の朝がおとずれたとき、わたしはケアード号の船体が弱っているのを感じた。船は押しよせる波に対して、浮きあがらなくなっていた。夜中に船の内外にくっついた氷の重量のせいで、船はボートというよりはまるで丸太のようになっていたのだ。すぐにもなんとかしなければならぬ状態であった。まず、氷におおわれて船縁に凍りついている予備のオールをとりはずし、海へ投げすてた。またわれわれは二つの寝袋をすててしまった。それはすっかり濡れて、それぞれ四〇ポンドほどの目方があり、夜中には硬く凍りつくというしろものだった。凍りついた寝袋をみじめな体温でとかすよりも、ちょうどほかの者が空にした濡れた寝袋に這いこむほうがよほどよかった。いまのところ寝袋は四つあって、その三つを交代に使用し、ひとつはだれかが長く弱りこんだときの緊急用にとっておいた。重量がへるとボートはいくらか浮力をましてきたが、さらに船側の氷をけずりおとしたりして軽くした。甲板のカンバスのうえを這っていって、氷をとりのぞくとき、斧やナイフで凍ったカンバスをつき通さぬよう用心しなければならなかった。どうにか氷をとりはらってしまうと、ケアード号は、まるで生きかえったように、とめどなくうねる波浪のうえに具合よく浮きあがることができた。

午前十一時ごろ、ボートは突然、高い山から谷につきおとされたかと思われるほど深い大波の底におちこんだ。そのとき沖錨《シーアンカー》とロープが流されてしまった。これは大きな痛手だった。ケアード号は風下にまわされ、錨と大切なロープをみつけだす機会はまったくなくなった。沖錨《シーアンカー》は、時化のとき、帆をあげるような危険をおかさないで船首を波のほうにむける唯一の武器だったのだ。これからは、かわりに帆をあげて、それに頼らねばならない。波の谷の底でケアード号がひどくゆれているあいだに、われわれは危険を忘れて凍ったカンバスを打ちたたき、氷をかきとってから帆を張った。しかし沖錨《シーアンカー》のようにうまくはいかなかった。帆はなんとか動いてくれた。われわれの小さいボートは苦闘のすえ、ふたたび風側にまわることができ、わたしは安堵の胸をなでおろすことができた。だが、皮膚の凍傷はだんだんひどくなっていき、悩まされつづけた。指や手には大きな水疱がいくつもできた。わたしの左手は、いつもこうした凍傷の痕がのこり、皮膚がやぶれてきびしい寒さにおそわれると、それがはげしく疼《うず》くのだった。

夜は早目におとずれてきた。そして、のろのろとすぎてゆく暗闇のなかで、われわれは天候の好転をよろこんだ。風は弱まり、吹雪もややおさまって、不機嫌な海はおだやかさをとりもどした。

七日目の未明には、風もしずまり、暗礁をさけてふたたびコースを南ジョージア島にとった。

太陽は明るい姿をみせて中空にと輝き、ワースリイはすぐ緯度の測定にあたった。正午まで晴れがつづいて、緯度がわかるようになればよいと思った。六日間も船位の観測ができなかったので、推測航法は当然あやふやであった。

その朝、ボートは海のうえに奇妙な光景を展開していたにちがいない。みなはひさしぶりの陽光をあび、寝袋をマストにかかげ、靴下やその他の汚れものや、しめった器具類を甲板いっぱいにひろげ、ぼろ屋を開業したのだった。

早朝に風が弱まりだしてから、ケアード号の氷がとけおち、カンバスの甲板には乾いた場所が点々とあらわれてきた。ボートのまわりにはイルカが出没し、ウミツバメが輪をえがいてわれわれのすぐ近くまで飛びまわった。

これらの小鳥には、悠然と飛翔する大きいアホウドリにはない親しさがあった。彼らが頭上をかすめて、あわれっぽい叫び声をあげながら暴風の海を飛ぶとき、それらは灰色がかってみえるのだった。また黒と灰色のどっしりとしたアホウドリは、きびしくきらきら光る眼で、荒海のまっただなかで沈まないように闘っているわれわれを見おろし、いとも冷淡にみまもっているようであった。ウミツバメのほかには、ストーミイ・ウミツバメが、ときどきわれわれの頭上をかすめていった。それから、名もわからない小さな鳥もいたが、それはたえず、小うるさく忙しそうな恰好で、まるであたりのことには知らぬ顔といった様子だった。わたしはいらいらさせられた。実際、この鳥には尾がなく、なにか見失った仲間をさがしもとめてでもいるように、あてもなく飛んでいた。この鳥が尾をつけて、無邪気にはばたき飛べばどんなによいかと、わたしはいつも思うのだった。

その日は、もっぱら太陽のあたたかさにひたった。生活は結局、それほど悪くはないのだ、われわれは順調に航海しているのだと思った。用具は乾いてきた。あたたかい食事も楽しくとることができた。正午、ワースリイは舷側に立ち、前部マストの支索に片手をかけながら体のバランスをとって、太陽高度の測定をおこなった。その結果は、われわれを元気づける以上のものがあった。すでに三八〇マイルあまりも航行し、南ジョージア島までの半ばに達していたのである。もう航海があたかも半分成功したかのようによろこびあった。

午後になると微風がでて、やがて強さをましてきた。ケアード号は、爽快に進んだ。実のところ、われわれのボートがどれほど小さいかを、わたしが知ったのは、日がさしてからのことであった。日の光とあたたかさには、楽しかった日のことを思いださせる不思議な感化力があるものだ。しかしそれは普通の航海のことである。人々の足の下にしっかりした幾重もの甲板があり、食物もふんだんで、しかも居心地のいい船室もあるときのことである。だがいまは、「ひろいひろい南のはての大洋に、ずっと、ひとりぼっち、まったくのひとりぼっち」で、たえず打ちのめされどおしの小さなボートにしがみついている、あわれなパーティーである。われわれがぐうっと波の谷間へひっぱりこまれるごとに、空は大きな波濤のためにみえなくなった。われわれは広漠たる海洋のなかのけしつぶにすぎなかった、——海はだれにも胸をひらいてくれるが、だれにも慈悲をかけない。おとなしそうにしていても無言のうちに人を脅迫し、いつも弱い者には無情である。一時は、われわれは敵対する海の力により、ほとんど圧倒されたものだ。ついでボートが波頭にのり、その頭から、瀑布になってさかまく波浪の下できらきら光る無数の色の波の泡のなかに投げこまれたとき、ふたたび希望と信頼をとりもどした。

食糧が欠乏する場合にそなえて、ケアード号には非常用にわたしの双身銃と弾丸をのせてきたが、かわいらしい隣人であるウミツバメや、ほかの生肉をとるために使うつもりはなかった。アホウドリは射てただろうが、羽ばたきひとつしないこの悠々たる海の女王然たる漂泊者は、われわれになにか「老水夫の歌」の詩句を思いおこさせるのだった。こんなわけで、わたしの銃は水洩れする甲板の下の、狭い場所にある貯えものといっしょに、寝袋のなかにおかれたままであった。そして鳥たちは、なにごともなく、ボートのうしろを飽きもせず追いつづけてきたのだった。

航海のほうは、八、九、十日目は、とくに述べるに値するようなことは少なかった。この三日間は強風が吹いていて、ボートをあやつるのにあいかわらず手こずったが、目的地へむかってかなり前進していた。水平線には氷山の影もなく、もはや流氷海域を脱したようだった。

十日目の夜、ワースリイは舵当番の仕事をおえたとき、体をまっすぐのばすことができなくなってしまった。しぶきまじりのつめたい潮風と過労のため、彼は全身をふるわせていた。彼を甲板の下へひきおろし、マッサージをしてやると、どうやら体をのばして寝袋にもぐれるようになった。

十一日目――五月五日――は北西の強風が吹いていたが、午後おそく南西にかわって荒れはじめた。雲は低く空をおおい、ときどき襲う吹雪がおそるべきうねりをひきおこし、海はわれわれが遭遇したうちで最悪の状態になった。真夜中にわたしはひとり当直の舵綱についていたが、突然、南と南西のあいだの空に、一条の晴れ間があるのに気づいた。わたしはほかの非番の者に、空がすこし晴れてきたことを知らせたが、そのとたんに、わたしが雲のきれ間だと思って眺めていたのは、白い巨浪の頂きだったとわかった。二十六年間にわたるわたしの海上生活で、かつてこれほど巨大な波に出会ったことはなかった。それは海がそのままもちあがってできた巨大な山のようなもので、これまで長いあいだ、白い波頭をふりあげてはわれわれを苦しめてきた荒波なぞ問題にならぬほどの大物だった。わたしは思わず「頼む、頼む、静まってくれ！　おねがいだ！」と叫んでしまった。

その一瞬、恐怖は、そのまま何時間もつづくように感じられた。そそりたつ海の壁がくずれ、山のような波が砕けたかと思うと、われわれのまわりに白い泡がとびちった。ボートは浮きあがったと思うや、ちょうど磯辺で波にもてあそばれている一片のコルクのように、前方へほうりだされた。もはやボートを操縦できる限界を通りこしていた。ケアード号はなすすべもなく巨濤に身をゆだねるほかなかった。ボートには、これまでになく多量の水が流れこんだので、中の状態はいっそう悪化した。たちまち、あらゆる積荷は濡れてしまった。炊事用ストーブが船底でぷかぷか浮び、ひっくりかえった鍋からこぼれたシチューは、あらゆるものにしみこんでいった。

われわれが炊事用ストーブに火をおこし、あたたかい飲みものをとったのは、午前三時になってからであった。そのときは、すっかり身体が凍えきっていた。とくに船大工は消耗しつくしていたが、勇気をふるいおこしてがんばっていた。これまで、ビンセントは活発に働く乗組員だった。その彼が急に弱りこんでしまうなんて、わたしには理解できなかった。体力の点では、彼はボート中でもっとも強健といえる一人であった。青年のころ、北海のトロール漁船で働いていたことがあり、マクカーシイよりは強いはずだった。それほど頑丈とはいえないマクカーシイのほうは、元気を失っていなかった。

翌日の五月六日は天気が回復にむかい、太陽もちょっと姿をあらわした。ワースリイの測定によれば、われわれの位置は南ジョージア島の北西端からおよそ一〇〇マイルの海上だった。もう二日もいい風がふけば、目的の土地がみられるだろう。だが一難去ってまた一難、飲料水がきわめて少なくなっていた。すこしの遅れも許されないと思った。夜のあたたかい飲みものは、絶対に欠かすことはできないからだ。毎日の水の使用量は、一人あて半パイント弱ときめた。のせてきた氷のかたまりは、だいぶ前になくなっていた。いまはエレファント島からたずさえてきた水にたよっていた。それはボートに積むとき小穴をあけてしまった樽のなかの水だったので、塩っからく、いっそう渇きをおぼえさせた。波をかぶり、海水がまじっていたのである。

われわれは、のんびりと、ぜひやらねばならぬ仕事だけをやり、ひたすら陸影を待ちのぞんだ。

かならず島へ到達できるよう、針路を修正して真東へむけた。万一島の北端を通りすぎてしまえば、もう島へはいきつけないだろう。針路の目標地点を、海図のきれはしにある海岸からおよそ三〇マイル南にさがった岬に定めた。その日と翌日は、悪夢のようにすぎた。口はカラカラに渇き、舌はひりひり痛んだ。風はまだ衰えていなかった。海が荒れているので、注意深く航行しなければならなかった。だが、波の危険は、はげしい渇きにくらべようもなかった。いまのわれわれにとって待ちどおしく楽しみなのは、長くつらい夜の当直にあたるとき、一杯の熱いミルクをうけとる瞬間であった。ゆれうごくボートに拍子をあわせて一滴も残さず飲みほせば、苦しさもうすらぐというものであった。苦しいことばかり多かったけれど、結局のところわれわれは島へ近づいていたのだった。

五月八日の朝は、どんより曇り、荒れ模様だった。北西の強風が高いうねりをともなって吹いていた。陸影をもとめて、前方の海を双眼鏡でみつめたが、そこには数日のあいだ眺めてきた水平線しかなかった。しかし、目的地は間近だと思い、だれもが元気づいていた。その日の朝十時ごろ、海草がすこしばかり流れてきた。それこそ陸地が近いことをつげる吉報だった。それから一時間後には二羽のウミガラスが海草のかたまりのうえで休んでいるのをみかけた。もう海岸から一〇マイルないし一五マイル以内にいるにちがいなかった。これらの海鳥は決して陸から遠くはなれた海には飛んでこないので、船乗りにとっては燈台と同じようなものだった。

われわれは、期待に胸をはずませて前方を凝視した。そして十二時半、マクカーシイが、雲のきれ目をとおして、南ジョージア島の黒い断崖を発見した。エレファント島を発ってから、ちょうど十四日目のことである。

それは感激の一瞬だった。ひどい渇きに苦しみ、寒さにふるえ、体力の衰弱したわれわれに、幸運が明るくほほえんだのだ。危険な航海は、ほぼ終りに近づいたのだった。

上陸地点をさがすために、海岸をめざした。すると、緑色の長葉草が、懸崖の高い棚に生えているのが眺められた。その懸崖の下では、波が白くくだけていた。ボートの前方と南のところで、波はうねり、泡立ち、しぶきをあげている。

海岸沿いに、海図に記されてない岩礁のあることがわかる。ここかしこに、ごつごつした岩が海面につきでていた。それに大波が打ちあたっては、やたらに渦をまいたり、三〇フィートにも四〇フィートにも空高くまっ白い激浪としぶきを打ちあげたりしていた。島は、けわしい岩が海へそのままつづいているようであった。

われわれは飲水と休息をはげしく欲していたけれど、いま上陸しようとするのは、まったく自殺にひとしいだろう。夜が近づいた。天候はよくないようだった。翌朝まで、船の針路をかえるしか策はなかった。そこで、ケアード号を安全と思われる沖までもどし、一夜をすごすことにした。

夜明け前ふたたび海岸へとむかったが、全員の体は疲れきって、ほとんど無感覚になっていた。

飲水はすでになくなっていた。潮水を多量にふくんだ水がわずかばかり残っていたが、それも医療箱のガーゼの小切れで濾してすすってしまった。飢渇感が、前にもましてはげしく襲ってきた。わたしは、どんなことがあっても明日は上陸しなければならないと決意した。夜は長く、われわれは疲労困憊していた。明るくなるのが待ちどおしかった。

ついに、五月十日の黎明がおとずれてきた。風はほとんどなかったが、波は高かった。針路を徐々に海岸のほうへとって進んだ。午前八時ごろ風は北西にかわり、強く吹きつけてきた。やがて、われわれはひとつの大きな入江を発見した。わたしはそれがキング・ハーコン湾であると思い、そこに上陸することにした。だがすぐ上陸するわけにはいかなかった。

風が逆方向にかわり、東から湾の外へ吹きだしたのだった。わたしは船首に立って針路を指示しながら、暗礁をさけて進んだ。そのへんには海草がびっしりと繁っていた。岩と岩の間隔がたいへん狭かったので、オールをあげねばならなかった。波は暗礁をのりこえ、海岸に音をたててぶつかっていた。だがこれをどうにか無事通りぬけて湾内へはいり、すでに夕闇せまるなかを、ケアード号は波にのって海岸にすべりこんだ。わたしは短いロープをもって岸にとびおり、返る波でボートがひきずられないようにささえた。わたしは気持のよい大地におりた。すると、さらさらとさわやかな音がきこえてきた。あたりを見まわすと、足もと近くに一条の小川が流れていた。われわれはすぐひざまずいて、その清らかな氷のようにつめたい真水を、心ゆくまで飲んだ。それは、渇きのため半死半生になっていたわれわれをよみがえらせてくれた。まさに、命の水であった。すばらしい一刻だった。

キング・ハーコン湾は、南ジョージア島の西に位置する長さ八マイルほどの入江である。入江の北と南側はけわしく山脈がせまり、その先端には内陸の大氷原から流れでる大きな氷河がのぞいていた。これらの氷河と急峻な山脈が、湾から内陸へむかうわれわれの道をさえぎっていることはあきらかだった。

ここから湾の奥までさかのぼらねばならないのである。現在の小湾は、キング・ハーコン湾の南の岬をすこしばかり中へいったところである。

あとで、寝袋を敷くやわらかな床をつくるため、ほとんど枯れかけた島の長葉草を、荒地のうえに敷きつめた。野営地はちょっとした岩穴で、とにかく乾いていた。安心して用具をそこへ移した。炊事場をこしらえ、寝袋を敷き、まわりに毛布をめぐらした。

岩穴は奥行が八フィート、入口の幅が一二フィートほどの大きさであった。

野営地をととのえているあいだに、クリーンとわたしは、海浜の背後の長薬草の生いしげる斜面をのぼり、入江を見おろしている岬の頂きへでた。そこにはアホウドリの巣があって、中に幼鳥がいるのを発見して大喜びしてしまった。幼鳥はよく肥えて元気だった。不憫《ふびん》に思えないこともなかったが、いまの場合われわれは遠慮することなく、彼女らを若死させることにした。そのころいちばん気がかりだったのは、すでに料理用の燃料が欠乏していることであった。食糧は、あと十日は食いのばすことができるだろう。野鳥も食糧にくわえられる。しかし、あたたかい食事をとるには、ぜひとも燃料を手に入れねばならない。ケアード号にもちこんだ石油の貯えは、すでに残り少なくなっていた。これから決行する陸上旅行用に、ある程度準備する必要があった。象アザラシも普通のアザラシも絶好の燃料と食糧になるのだが、この有用な動物も、このあたりでは一頭もみあたらなかった。

朝のうちに、ボートの縁に打ちつけてあった材木をはがしとって、穴のなかで火を燃やしはじめた。濡れた材木の煙が、われわれの疲れた眼をいぶすようにしみこんだが、しばらくぶりにあたるあたたかい焔と、あたたかい食事のことを考えれば、けむいことなぞがまんできた。その日はクリーンが料理番だった。わたしは彼にサングラスをかけるようすすめた。彼は偶然そのサングラスをもってきていたのだ。それは彼が火をのぞきこみながら、シチューをつくるのにたいへん役に立ったのである。

ところで、そのシチューとはどんなものであったか！　かわいそうだが、とったアホウドリの若鳥は、一羽の重さが一四ポンドもあり、料理してみると、すくなくとも六ポンドほどの肉になった。鍋には六人用に四羽をつっこみ、そのうえソリ旅行用の定量食をくわえて、いちだんと濃厚なものにした。生肉は白くて水気が多く、やわらかく煮えた若鳥の骨は、かまないうちに口のなかでほとんどとけてしまった。それは、忘れられないおいしい食事だった。われわれは飽きるほど食べると、燃えさしの火で煙草を乾かして、心ゆくまで存分に吸いこんだ。海水に濡れた衣服を乾かそうとしたが、うまくいかなかった。塩分をふくんだ服はいっそうべとついたからだ。獣脂か流木でも手にはいるまでは、料理以外に火を使うことはできなかった。

これからまだ最後の山岳横断の旅をおこなわねばならないのだ。一行の調子《コンディション》、とくにマクネイシュとビンセントの健康状態からして、やむをえないときのほか、二度と海へでることはできないだろうとわたしは思った。それにボートは補強の船縁材をとりのぞいてしまったので、外洋の荒波に耐えられないだろう。そうかといってここにそう長くとどまるわけにもいかなかった。われわれが海をまわって、島の反対側のストロムネス捕鯨基地までいくとすれば、一五〇マイルも航海しなければならないのだ。それにかわる方法は、島を横断する以外になかった。もしそれもできなければ、ここで冬を越すため、さらに食糧と燃料を入手するよう努力しなければならないが、それは不可能なことだろう。

エレファント島には二十二名の者が、われわれが救出にくるのを唯一のたよりにして、待っているのだ。彼らはわれわれよりもっと窮境に追いこまれているのだ。いまは、できるかぎり早く、つぎの措置を講じなければならない。健康の回復を待って六名で船を漕いでいくか、それとも幾日かの準備をついやして帆走できるようにするか、いずれにしてもまだ数日はかかるに相違ない。

五月十三日土曜の朝、湾はまだ氷でつまっていたが、午後は潮流のため全部流れさってしまった。つぎにおこなう旅の予備知識を得るため入江の状態を調べる必要があった。この朝ワースリイとわたしは丘をこえて北東のほうへ歩いていった。骨を折って、二時間あまり、二・五マイルほど歩くと、東海岸の湾らしいところをわずかに遠望することができた。陸を横断して反対側の捕鯨基地へいくわけだが、これから踏みこえていくことになる内陸の様子は、あまりよく眺めることができなかった。小川や凍結した湖をいくつか渡り、入江の岸へもどってくると、難破船の遺物らしい一八フィートほどの松の用材をみつけた。

たぶん船の中檣の一部なのだろう。数片の材木、小さなモデルシップなどもあった。どんな海難だったのだろう。二人はいろいろ臆測をめぐらしてみたが、波と風が黙したまま海の悲劇を物語っているだけであった。

それから数羽のペンギンと、一頭の若い象アザラシとに出会った。ワースリイはそれを射とめ、肉を切りとって持ちかえった。

翌日——五月十四日——、もし天気がよければ明朝早く出発するため、準備にとりかかった。入江をさかのぼる途中、象アザラシの残りの肉を手に入れたいと思った。航海中に、濡れた衣服ですれた皮膚の傷は、全員だいたいなおっていた。ひどくやられたのは足の内側で、島に上陸してからも、しばらくは歩くのが苦痛だった。

最後にアホウドリの巣をおとずれた。巣は岩穴のうえのゆるやかな高地の、長葉草や雪がまだらに残っているところや、凍った湖などにあった。巣はそれぞれ草や根や土などで、一フィートほどの築山状につくられていた。アホウドリは一卵性で、二つ産むのはごくまれであった。一月に孵った雛は、ほぼ七カ月間巣のなかで餌をあたえられたのち、海へでてひとり立ちするのだ。雛は四カ月たつまできれいな白い産毛におおわれているが、われわれがここへきたときは、もう羽がだいたい生えそろっていた。たまたま一羽の親鳥が巣の近くでじっと見張っていた。

五月十五日、この日は記憶すべき日であった。午前七時半にはシチューを食べて腹ごしらえをおわった。けわしい海岸をとぶようにおりて波打際へでて、ボートに荷を積んだ。夜中からはげしく雨が降っていて、これに北西の強風がともなっていたが、いまは霧のような細雨にかわっていた。ケアード号は、ふたたび波と闘うのをためらうかのように、用心深く海を進んだ。おそろしい岩礁をさけ、両側に海草のゆれうごく狭い水路を通りぬけて、東へ針路をとりながら快適に湾をさかのぼっていった。ちょうどそのとき、霧をやぶって太陽があらわれ、飛びちる波はわれわれのまわりできらきらと黄金の光を反射した。北側の氷河が落ちこんでいる断崖の先端をまわり、正午すぎには、長葉草が生えている砂と小石のある低い海浜へボートをつけた。

このへんには数百頭の象アザラシの大群が寝そべっていたので、食糧問題は解消してしまった。巨大な数トンもある雄が、それぞれハーレムをつくっていた。それはみたところ、数年間は食べていけるだけのたっぷり肥えた肉と脂のかたまりであった。上陸地点は湾の北東端から一・五マイル西のところであった。ケアード号を流されないように高潮点より高いところへどうにか曳きあげ、それをちょうど風かげになる、つまり岬の断崖の東側にあたるところだが、そこへ船底を上にひっくりかえしておいた。

五月十六日火曜は天候が悪く、まるっきりボートの下にはいったまま一日をすごした。翌朝は霧、雨、雪をまじえた西南西のつめたい風が吹いていた。わたしはワースリイをつれて、島内の地形を調べる目的で、西方へ偵察にでた。湾の北東の端まではソリ行によい道であることがわかったが、そのさきの様子は、吹雪で視界がきかなくなったため、はっきりみえなかった。十五分ほど天候の回復を待っていたが、それ以上待つこともできないので帰途についた。

船大工は、陸上旅行用のソリをつくりはじめた。もちろん彼の望む材料は、量も制限され、材質もあまり適当なものはなく、苦しい作業だった。

五月十八日、木曜日、装備品を調べ、ソリを氷河の末端まで曳いていった。ソリは重くて荷厄介となった。ワースリイとクリーンがいっしょにきた。相談の結果、寝袋は残し、ごく軽装でいくことにした。三日分の食糧は、ソリ旅行用の定量食とビスケットにきめられた。食糧は各自が携行するように、三足の靴下につめることにした。それから石油をいっぱいにつめたプリマス・ストーブ、小型炊事具、アイスアックスの代用として大工の手斧《ちょうな》、アルパイン・ロープをもっていくことにした。ロープは結びあわせると全長五〇フィートはあった。けわしい傾斜をくだったり、危険な割目のある氷河を渡ったりするかもしれないのだ。この旅行では、身体の弱っている者は野営地に残すことにした。ビンセントはまだ回復していないのでいっしょにつれていくことはできそうもなかった。マクネイシュもすっかり弱っていた。二人は自分の用も満足にたせないしまつで、マクカーシイはその面倒をみるため残ることになった。もしわたしが捕鯨基地への横断に失敗すれば、彼は困難な仕事に直面することになる。海図によると、基地のフスビックまでの距離は、

南ジョージア島の氷河と山

直線では一七マイルにすぎないが、われわれはどんな陸地が横たわるのか、前途の様子をまったく知らなかった。

南ジョージア島の海岸部から内陸へは、これまでにだれ一人、一マイルの距離さえも踏みいった者はいなかった。多年この島を基地としておとずれている捕鯨船の強者連も、高峰と複雑な氷河の入りくむ島のなかへは、決して近よれないと信じていた。その日、われわれが氷河の端へ歩いていったとき、三羽のマガモが東のほうから湾頭へ飛んでいくのをみた。これらの鳥がいるのは、内陸に雪原や氷河のほかに草地も存在している証拠で、そうであればよいがと考えた。だがそれも、それほど希望のもてるものではなかった。

金曜日の朝、わたしは午前二時に起き、一時間後にはおきまりのシチューをととのえた。ほとんど雲もない空には満月が皎々として照っており、近くの氷河の氷塔《セラックス》や亀裂《クレバス》のはいった氷のおもてに、月光がつめたく反映していた。巨大な峰々が峻嶮そのものの姿で虚空に屹立し、その黒い影を入江の海面におとしていた。遅れをとらぬよう、食事をおえるとすぐに出発した。野営地に残るマクネイシュが、いっしょに二〇〇ヤードばかり歩いて見送ってくれたが、それ以上はついてこられなかった。われわれは別れの挨拶をかわし、彼は野営地へもどっていった。

雪面には、まったく失望させられた。二日前は堅くしまっていて歩行できたのに、いまは一歩ごとに足首までぬかってしまい、行進は遅々としてはかどらなくなった。二時間も休みなくのぼった結果、海抜二五〇〇フィートの高度につくことができた。さいわいにも天気はおだやかで、山稜に近づくにしたがい、のぼってきた島の西海岸が眼下にひらけ、明るい月光は、内陸がうんざりするほど遠くつづいているのを照らしだしていた。

前方にはうち仰ぐほど高峻な山脈がたちはだかり、のぼることもできない絶壁、けわしい雪の斜面から切りおとしたようなアイス・フォールと氷河がおちこんでいた。そのむこうには雪原がひろがっていた。

われわれは雪穴や氷の割目、あるいは懸崖にそなえて、三名がロープで結びあい、ときに深い雪をわけていった。先頭のわたしとしんがりの者とのあいだは、ロープをいっぱいにのばして、方向を定めながらまっすぐに進んでいった。霧にまかれて歩くとき、もしわたしが右へそれれば、ロープにつながるラストの者が方向を知らせてくれるのだった。船が船長の命令で方位をきめて進むように、われわれはそれから二時間というもの、濃霧のなかを歩きつづけた。やがて夜が明けそめ、霧はうすらぎ、上に去っていった。

高さおよそ三〇〇〇フィートの山腹に達し、そこから対岸が霧にかすんでみえる大きな凍結した湖らしいものを見おろした。ここで休息し、ビスケットをすこし食べ、くだっていって湖面の平らなところを渡るか、あるいはのぼってきた山稜をさらにたどるか話しあった。湖はわれわれの進路にあたっていたので、わたしはくだることにきめた。朝の陽が雲間からさしはじめると、霧はちり、湖の姿はずっとはっきりしてきたが、その東岸はまだ霧がのこっていてぼんやりしていた。やや時がすぎて、霧がまったくあがってしまうと、湖は地平線にひろがっていてそうとう大きいことがわかった。そして、その先のほうに、島の東岸のひろい海を見おろしていることが、突然わかったのだった。

南ジョージア島を横断して

太陽は晴天を約束するかのように、暁の雲をやぶって空にのぼった。われわれは軟雪のなかをさんざん苦労してきたため、体はあたたかくなっていた。前方には、これから横断しなければならないキング・ハーコン湾からみえた山脈の山稜と峰々が、どっしりと横たわっている。ゆるい高原をのぼると、一時間ばかりで汗がにじんできて、いささか暑さを感じるようになった。数年前のこと（一九〇七〜〇九年）、わたしが南極大陸の核心部を踏査した探検のとき、決して二度と太陽にむかって不平をいうまいともらしたことがあった。わたしのこの決意は、ボートでの航海中にも強まっていた。いま眼もくらむ白雪の斜面に、太陽がはげしく照りつけているとき、わたしはそのことを思いだしたのだ。氷河のクレバス地帯をすぎてから、はじめて食事のために休息した。

手斧で雪のなかに三フィートほどの穴を掘り、炊事用のプリマス・ストーブをそこへすえた。風はなかったが、急に突風がやってくるかもしれなかったからだ。まもなくあたたかいシチューがぐつぐつおいしそうに煮えてきた。

食事をすませてから、二つの峰のあいだの鋭い山稜へ、黙々とのぼっていった。午前十一時までに、われわれはほとんど絶頂ちかくに達していた。斜面はいよいよけわしくなり、前進するには一歩々々足場を切らねばならなかった。これには手斧が恰好のすぐれた道具になり、それで一打ちすれば十分な足場が氷雪上にできた。いくらかの不安といくらかの希望の念をいだいて、わたしは最後の数歩を刻みこみ、峻嶮な山稜に立った。その間、ほかの者はロープをしっかり握って、わたしからの知らせを待っていた。しかし状況は失望であった。目もくらむ一五〇〇フィートの垂直の壁の下方に、砕けおち散乱した氷が見おろされ、わたしはけわしい懸崖をのぞきこんで肝を冷やした。くだる道はどこにもなかった。はるか北東のほうに、いまにも雪崩れてきそうな雪の斜面があり、くだれる可能性がわずかにあった。のぼりに三時間もかかった長い斜面を、また引返してくだることにした。一時間ののち低所にたどりついたものの、なれない強行軍に足は疲れきっていた。一月以来われわれはほとんどつづけて歩いたことがなく、山地の踏破はまったく調子がでなかったのである。

ふたたびわれわれは山稜へむかい、苦しい登高ののち、疲れきった身体を鞭打ち鞭打ち、ようやくその頂上に達した。山稜の青氷のうえには雪が分厚くつもっており、最後の五ヤードは、すごい急傾斜だったので、一歩ごとに足場を刻まねばならなかった。絶頂のむこう側も同じような懸崖が眼下につづき、わたしの眼はむなしく下降のルートをさがしもとめた。はげしく照りつける太陽で雪はゆるみ、表面はやわらかくなっていて、いまにも雪崩れそうな不安な状態を示していたので、用心深く足をはこび、万一を覚悟しながらくだりにかかった。ふりかえれば背後には霧がもうもうとまきあがり、それが東からわいてくる霧と谷のなかでまざりあって、視界を刻一刻とせばめていた。這いよる灰色の霧は、われわれがそれにつつまれないように、できるだけはやく低所へくだらねばならぬことを知らせていた。未知の山域で霧ほどおそろしいものはないのだ。

午後はのろのろとすぎていった。こんどは西から、気味のわるいつめたい霧がまきあがってきた。日没前につぎの谷にくだることが、なによりも大切なことであった。われわれは現在四五〇〇フィートの高所にいたが、この高さでは夜の気温が、海岸よりずっと低いことはたしかだろう。われわれはテントも寝袋もなく、着たきり雀の衣服といえば、荒仕事によく耐え、十カ月にわたる風雪にさらされてきたものだった。できるかぎりはやく山岳地帯を横断してしまわなければならないのだ。堅雪に足場をカットしながら、はじめは注意深く徐々にくだっていった。やがて表面がやわらかくなり、勾配もさほど急ではなくなった。ひきかえすこともないので、たがいに結びあっていたロープを解いて、子供のころのような山すべりの恰好で、雪面に尻をつけ、思いきってそこからすべっていった。斜面の下の雪の小山にのりあげたとき、すくなくとも九〇〇フィートを、ほんの瞬間にくだってしまったことがわかった。

ふりかえってみると、陰気な霧のかたまりが、ちょうど指のような形になって、未踏の山地へ侵入してきた乱入者をつかまえようとでもするように、奇怪な動きをみせながら山稜にあらわれていた。だが、われわれはさいわいにもいちはやく逃れることができたのだった。

午後六時に、もういちど食事をとった。穴を掘って、風に弱い炊事用ストーブの火をまもったけれど、わずかな風にも焰はすぐ消えるので、炊事の支度はなかなか厄介であった。料理番はクリーンで、ワースリイとわたしは、体で風をふせぐため、炊事用具の風上側の雪のうえにすわった。食事をおえ、われわれは長いゆるやかなのぼりにかかった。夕ぐれの気配が濃くなり、やがて夜がおとずれてきた。一時間ばかり、慎重に気をくばりながら、真暗闇のなかを手さぐりでのぼっていった。午後八時ごろ、ギザギザした岩の峰の背後をわずかに明るく照らしていた光が、皎々たる満月となってあらわれた。月はしだいにわれわれの頭上にのぼってきて、行先を銀色にそめた。そうしたルートを、月明りにしたがいながら無事に進んでいった。両側には、氷河のクレバスの先端が投げかける影が黒くうつっていた。真夜中までに、ふたたび高度約四〇〇〇フィートの高所に達した。月光を追ってひたすら歩いていった。月は北東へまわったが、われわれのルートもその方向にあったから、ぐんぐんピッチをあげた。月は、われわれの疲れた足もとを友情深く照らし導いているかに思われた。

目的のストロムネス湾は、この斜面の下にあるにちがいないと確信した。三〇〇フィートばかりくだると、すこし風がでてきた。われわれはもう、二十時間以上も歩きつづけてきたのだった。休みは、ときたま食事をとるときだけであった。遠く南につらなっている高い峰に、ひとかたまりの雪が笠のようにかかって、どうやら風と雪になりそうに思えた。午前一時すぎ、食事の用意に雪に穴を掘り、そのまわりに雪を積みあげてストーブをつけた。あたたかい食事をとって空腹をいやし、しばしの休息でわれわれは元気をとりもどしたのだった。それから半時間もたたぬうちに出発し、なおも東へくだっていった。こんどこそはきっとストロムネス湾の真上にきていると思った。

山上から見おろす湾内の黒いものは、フスビック基地のさきに横たわるマットン島らしく思われた。意外に近いぞと思ったが、どうもわれわれは勝手に想像をたくましくしていたらしい。おりから親しげに中天に浮んでいる月の顔をかすめて雲が通り、その黒雲のあいだからもれる定かならぬ月の光が照らしだすいろいろな地形を、安易にみすぎていたらしい。われわれの望みは、たちまち無残についえさってしまった。けわしいルートが前途になお横たわっていることがわかったからだ。クレバスは、まちがった氷河のうえにいることを教えていた。そして眼下には、無数の割目のはいった大氷塊が、海にくずれこまんばかりに迫っているのだった。ストロムネスの背後には氷河のないことを、わたしは知っていたので、これはフォーチュナ氷河に相違ないと思った。失望落胆はひどかった。われわれはひきかえして、ふたたび氷河をのぼったが、こんどはもとの足跡をたどらずに南東へむかった。疲労困憊していたわれわれは、重い足どりで氷のうえを黙々と歩いていった。午前五時、山脈の岩峰の裾につくことができた。われわれは疲れきり、すっかり消耗していた。そして氷雪をまとった高い山から吹きおろす寒風に、手足は凍え、ふるえはとまらなかった。岩の風陰側によってすこし休むことにした。手斧と杖を雪のうえにおき、そのうえにすわって、なるべくたがいに身体をよせあい、腕をまわしてかばいあった。いくらかでも身体をあたためようと思い、こんな恰好で半時間の休息をとったのだ。そのうちに同僚の二人は、ぐっすり眠ってしまった。このまま眠りつづければ、死んでしまうおそれがある。しばらくしてから彼らをゆりおこし、半時間は眠ったと知らせ、出発を告げた。

立ちあがったわれわれは、身体がこわばっていたため、それから二、三〇〇ヤードほどは、膝も思うようにまがらず、足をひきずり、這うようにして進んでいった。乱杭歯のようにギャップのある鋸歯状の稜線が行手にはだかっていた。このけわしい稜線はフォーチュナ湾からさらに南へはしる山脈であって、東のストロムネス基地にむかうわれわれのコースは、それをのりこえていくのである。非常に急峻な傾斜で、見あげる山巓へとつづき、峰と峰のはざまからは氷のようにつめたい風が吹きおろしてきた。

われわれは心身ともに疲れはてていたが、午前六時にそのはざまをこえた。もし、その

南ジョージア島の稜線

さきの斜面がくだれないとなったら、途方にくれて雪のなかにたおれてしまっただろう。だが、さいわいなことに、状況は好転してきた。夜明けがたに、フスビック港のねじれたような岩の姿が前方にあらわれたのだ。見覚えのある岩だ。無言でわれわれはたがいに手を握りあった。実際には、まだ困難なコースを一二マイル近くも横断しなければならなかったのだが、心のなかではもう旅はおわったも同然だと思った。われわれの足もとからは、たどってきた山稜と、フスビックのすぐ背後の丘とをへだてている谷にむかって、ゆるやかな雪の斜面がつづいているらしく思われた。それをみつめて立っているとき、ワースリイが、「隊長、ここからさきは嘘のようにらくですね」とまじめくさっていった。どんどん下へくだっていくと、やがて二五〇〇フィート下方に、海がみえたので、立ちどまった。

黒い海浜にはさざ波がたち、いったりきたり気どって歩くペンギンの小さな姿がみえ、アザラシらしい黒いものが、砂上にだらりと寝そべっているのも眺望できた。これはわれわれが真夜中に見おろした入江から、山の支脈で二つに分れているフォーチュナ湾の東の入江であった。いま横ぎっている山腹のさきは、この海岸のうえで断崖になっているらしかった。だが一躍元気をとりもどしたわれわれは、旅の最後の段階で、これくらいの障害にくじけることはなかった。ここで朝食をとるために、いそいそと休息の場所をもとめた。

ワースリイとクリーンがストーブ用の穴を掘り、炊事の準備をしているあいだに、わたしは下の地形を見渡すため、手斧で足場を切りながら、前面の山稜をひとりのぼっていった。午前六時半、わたしはなんとなく汽笛の響きがかすかにしたような気がした。確信はもてないが、その時刻ごろは、捕鯨基地の人たちが寝床からおこされる時間である。二人がいる野営地点にもどると、そのことを話した。われわれはよろこびのあまり興奮をおさえることができなかった。時計をみると七時で、ちょうど基地の人たちが仕事につく時間だった。そのときこれを裏書きするように、汽笛の音がきこえてきた。その響きは、何マイルかへだたった岩と雪をこえて、風にのって明瞭にきこえてきたのだ。これほど清らかな響きを、われわれはきいたことがなかった。それは外部の人たちからつたわるはじめての響きで、一九一四年十二月このストロムネス湾を発ってから、十七カ月ぶりに耳にするものであった。その汽笛は、近くに人間が生活し、われわれがそこへつけば船が用意され、そして数時間内に、ワイルドの指揮下にエレファント島で救援をまつ人々を救いだせることを物語るものであった。それは筆舌ではあらわしえない一瞬であり、あらゆるできごとが脳裏に浮かんでは消えていった。あのなんと形容したらいいかわからないほどの心痛と困却、他にくらべようもない冒険にみちたボートでの航海、人跡未踏の南ジョージア島の横断、絶望的な空腹と過度の疲労など、この瞬間、すべてを忘却のかなたにすてさってしまったように思われた。そしてただ、なしとげた仕事に対する深い満足があるだけだった。

高所からの地形観察では、はっきりしたことはわからなかった。そこで二人のところへもどってから、わたしはこのことについて相談した。だいたいのコースとしては、フスビックのほうへ雪の斜面をくだることだ。「ところで」と、わたしはいった。「この雪の斜面の下端は断崖らしいが、ひょっとすると、なんとかくだれるかもしれない。もしそこをくだらないとすると、とにかく五マイルはまわり道をして平地へでなければならないだろう。どうしたものか?」二人は、「隊長、ものはためしです。ひとつ斜面をおりてみませんか」とすぐさま答えた。こうしてわれわれはまたくだりはじめた。

石油をつかいはたした空っぽのプリマス・ストーブは、朝食をとった場所にすてることにした。一回分のソリ旅行用定量食とビスケットが最後の食べものとして残った。また深雪が足場をさまたげ、われわれは重い足を動かしながら海岸のほうへくだっていった。五〇〇フィートばかりくだって、高度二〇〇〇フィートほどにきたとき、比較的らくな斜面が前方にひらけた。ところがこのさきに、青氷のけわしい急傾斜が行手をさえぎって下へつづいていた。ワースリイとクリーンは、手斧で氷に穴を掘り、しっかりとした足場をこしらえた。二人は、つぎの足場を切るため、五〇フィートのロープがいっぱいにのびるまで、わたしを下へさげてくれた。わたしが三人に十分なだけの大きさの穴を掘ると、上の二人は慎重にくだってきた。わたしはロープの先を手斧にしばりつけ、穴のなかで彼らがすべってくる衝撃をもちこたえようとかまえた。みなが第二の穴にあつまると、わたしはふたたび氷の崖をくだっていって足場をこしらえた。こうした骨の折れる下降のくりかえしがつづき、約五〇〇フィートを下降するのに、たっぷり二時間をついやしてしまった。ようやく氷から脱し、斜面の下につくことができた。そこは高度も一五〇〇フィートあまりで、やがて島の低地に生えている長葉草の地帯を通り、まもなく砂浜へとでた。そこには動物の足跡があった。われわれは、ちょっとのあいだあっけにとられていたが、やがてわたしは、以前ノルウェーからつれてきて放ったトナカイが島で繁殖し、いまでは東海岸の低地を徘徊しているのだということを思いだした。

午後一時三十分、最後の丘をこえると、小さい捕鯨船が湾内二五〇〇フィートさきをはいってくるのがみえた。やがて船は波止場に接近し、マストもはっきり眺められた。船の近くを行きくするちっぽけな人影も望まれた。それからストロムネス捕鯨基地の建物や工場もあらわれた。われわれは立ちどまって、感激のかたい握手をかわした。それは、探検中にいくたびか無意識にするようになったたがいの祝福のしるしであった。その最初は、われわれがエレファント島に上陸したときで、第二回目は決死の航海をおえて南ジョージア島の西北岸に到着したとき、第三回は島越えの旅の最初の日に、山稜に達して眼下にひろがる雪の大斜面を眺めたとき、それからいま、われわれがフスビックの岩を望んだときの四回である。

われわれはあたたかさと慰安の場へと通ずる坂を、心せきながらも用心深くくだっていった。もうたいしたことはないと思っていた旅の最後のひとくぎりに、とくに困難が待ちかまえていた。急峻な氷におおわれている山腹が前途をとざしていた。なるべく危険のないルートを、あてもなくさがしもとめ、通れそうな道をもとめた。アイゼンをもたないわれわれに、氷の斜面ほど困難なものはなかったのだ。上から流れてくる水に刻まれてできたくぼみしか、通過できそうなところはなかった。三人は氷のようにつめたい流水をくぐって、この溝をくだった。胴までずぶ濡れになり、寒さにぶるぶるふるえ、疲労は限度に達していた。それからほどなく、われわれの耳は、この場合歓迎できない音をききわけた。ほかの場合なら、それも爽快な響きにきこえたことだろう。それは、滝が勢いよく落ちている水のとどろきであった。最後のところでまったくいやな場所にぶつかったのだ。滝のうえにでて、おそるおそる下をのぞくと、二五〜三〇フィートの絶壁となって下方へ切れおちている。しかもその両側は氷におおわれた通行不能の氷崖を形成していた。ここまできてふたたびひきかえすことなど、疲れきったいまの状態では考えることもできなかった。くだるには、なんとしてもその滝を通らねばならなかった。決心したわれわれは、かなり苦労して、ロープの一端を岩にむすびつけた。

岩石は、流水でまるくなめらかにみがかれていたため、ロープをしばりつけるのに非常に手間どった。それからワースリイとわたしは、まずいちばん体重のあるクリーンをおろした。彼の姿が滝のなかにすっかり消えていき、それから底のほうから彼が喘ぎ声で合図を送ってきた。ついでわたしがロープをつたっており、いちばん身軽で敏捷なワースリイが最後にたくみにおりてきた。

滝の下で、われわれはふたたび乾いた土地に立つことができた。しかし岩にむすんだロープは、とることができないので残していくほかなかった。手斧は滝のうえから投げおろし、また航海記録と炊事用具も上着につつんで投げおろしておいた。われわれの濡れた衣服を別にすれば、三名の財産はそれで全部だった。それらは一年半前に、立派に艤装をこらした新造船で、万全の準備をととのえ、しかも希望に燃えて突入していった南極の魔氷から、かろうじてたずさえてきたすべてのものであった。もちろん、それらはみな物質的なものばかりであるが、われわれの思い出は、はかりしれないほど豊かであった。苦闘ののち、あらゆる物資をうしなったが、うわべの虚飾をつきやぶったのだった。探検隊は

「苦しみ、飢え、そしてよろこびにおどり、南極の無辺の力に戦慄平伏しながらも、栄光をもとめようとし、人間として、全体の偉大さにおいていっそう成長した」のだった。われわれは、その偉大さのなかに秘められた神の御姿をみいだし、自然があたえてくれる教訓をきいたのだった。われわれは人間のほんとうの魂にふれたのである。

寒さにがたがたふるえながらも、心は軽く、そして楽しげに、ここから一・五マイルあまりさきの捕鯨基地へとむかっていった。苦難の旅はもうおわったも同然なのだ。その心のゆとりから、すこしは身のまわりをとりつくろおうとした。基地には婦人がいるかもしれないと思うと、この野蛮人風のひどい恰好が、たいへん気にかかったからだ。ひげはぼうぼうと長く、櫛を入れたこともない髪は、ふけだらけでこんがらかり、鳥の巣どころでないひどい頭になっていた。氷上以来、顔も洗わず、着換えもなく、一年ちかく着ふるした衣服は、すっかりすりきれて汚れているのだった。垢と汗のいやな臭気がして、みるからにきたない三人の無作法者が、ここにいようとは、なんびとも考えられなかっただろう。ワースリイは、衣服の端から数本の安全ピンをとって、いそいでまにあわせのつくろいをしたが、かえってそれが不恰好にうつった。

自然と足が速くなった。起伏する丘をどんどんくだっていき、基地のすぐ近くへきたとき、十歳か十二歳くらいの少年二人に出会った。わたしは二人の少年に、捕鯨工場の支配人の家はどこですかと、やさしくきいた。すると彼らは、だまりこくったまま、ちらりと上眼をつかってわれわれを眺めた、……それは二度とみるにたえないというような、恐怖ともおどろきともいえないみつめ方だった。それから少年は、ものもいわずに一目散に、逃げるように駆けだしていってしまった。われわれは工場のはずれにつき、裏から内部のくらい鯨の処理場を通りぬけ、そのさきへでたとき、一人の老人にでくわした。老人は突然悪霊でもみたかのように一瞬ぎょっとして立ちどまったが、われわれに質問するひまもあたえず、顔をこわばらせてあわてて走りさってしまった。このとき、この姿で、懇篤な挨拶をもとめるほうが無理だったろう。それから、われわれは波止場にやってきたが、そこでは鯨の処理に働く一人が、なにかの仕事にしたがっていた。わたしはその男に、支配人のソレルさんは家にいられるでしょうかとたずねた。

「います」と彼は答えたものの、不思議そうにしばらくわれわれを穴のあくほどみつめていた。

「急いで支配人にお会いしたいのですが」とわたしは再度話しかけた。

「いったいあなたはどなたですか?」と彼はえらく不審そうにききかえしてきた。

「船をなくして、島の反対側から山越えしてきたのです」とわたしは応答した。

「えっ……島を越えてきたんですって?」彼はまるで信じられないといったふうにわたしの言葉をうけとめたが、やや間をおいて「そうですか」と驚愕のおももちでいった。

その男は支配人の家のほうに歩きだし、われわれもそのあとについていった。

その後知ったのであるが、彼は心配そうにソレル支配人に、「外に奇妙な風態の人たちが三人ついてきました。島を越えてやってきたんだといい、あなたを知っているとも申しております。とにかくたいへんな人たちです。入れないで外へ待たせてあります」と、いかにもいぶかしげに語ったということだ。彼はわれわれのあまりにも変りはてたひどい様子をみて、かなり用心したようであった。

ソレル支配人は戸口へでてきて、「やあ?」と一言いったものの、なにかちょっとためらっているふうだった。

「わたしをご存知ではありませんか?」とわたしは支配人にむかってききかえしてみた。

「はて! 声はききおぼえているが」と彼はさも不審げに返答した。「あなたがたは、難破したデイジー号の船員ですね?」と彼は半信半疑で問いかけてきた。

「いいえ、わたしの名はシャクルトンですが」とわたしは答えた。

すると、支配人はすぐ手をさしのべて、「さあ、どうぞどうぞ、おはいりになってください、おはいりください」と親しく招きいれた。

「戦争はいつおわりましたか?」とわたしはさっそくきいた。

「いやいや、まだ戦いはおわるどころではありませんよ」と彼は答え、「数百万人が殺され、ヨーロッパは狂気の沙汰です。世界中が神経をとがらせ、戦争はますますひろがろうとしています」と真剣に話すのであった。

ソレル氏のあたたかい歓待は、つきることがなかった。彼はわれわれの凍りついた靴をぬがせると、家のなかへ案内してくれ、あたたかな気持のいい部屋のなかへ三人をすわらせた。その態度には、どんな援助もおしまない深い懇切さがあふれていた。われわれは、身体を洗って清潔な衣服に着かえなければ、部屋のなかにははいれないようなぼろをまとった異様な風態だったが、基地の支配人はわれわれといっしょに部屋にいても、すこしも不快な様子をあらわさず、ほんとうに親切な人だった。彼は香りのよいあたたかいコーヒーと、ノルウェー風のおいしい菓子をだしてから、階上の浴室へつれていってくれた。そこできたないぼろ服をぬいで、思いきり身体をごしごしこすって洗った。どうにか人心地がよみがえってきた。

ソレル支配人の親切は、だしぬけに彼のもとにたずねてきた三人の旅行者に対する個人的な思いやりだけにとどまらなかった。われわれが入浴しているあいだに、彼は島の反対側に残る三名の救出に、その夜のうちにでかけるよう、ただちに捕鯨船の一隻に出航準備を命じてくれた。捕鯨船の人たちは、まだ南ジョージア島のその方面にはいったことはなかったが、西南岸にあるキング・ハーコン湾は知っていた。やがてわれわれは風呂からあがり、きれいさっぱりとなって、ふたたび人心地をとりもどした。それから基地であたえられた新しい衣服に着がえて、ぼうぼうのびた頭髪も刈りこんだ。一、二時間のうちに、野蛮人にさようならをして、ふたたび文明人にたちかえったのであった。それからすばらしい食事がはこばれ、支配人は、それまでに彼がとった準備のことを話してくれた。そしてエレファント島に残っている本隊を救出するための計画について、おそくまで論じあった。われわれはソレル氏や捕鯨基地の人々の心づくしに感謝して、その夜をすごした。

ワースリイは救助船に同乗して、大工とその同僚の二名が野営している場所を知らせることにし、一方わたしは、孤島に待っているワイルドらの本隊を救出する準備にあたることになった。

キング・ハーコン湾へむかう捕鯨船は、月曜日の朝までに三名をつれてもどり、それからグリトヴィケン港に寄港し、そこの地方長官にエンデュアランス号の顚末について知らせる手はずになった。このグリトヴィケン港は、一九一四年十二月、南極めざしてわれわれが出発した港であった。そこには、探検隊宛ての手紙もきていることであろう。ワースリイはその夜十時に、捕鯨船に乗船し、船内で寝た。翌日、救助船はキング・ハーコン湾にはいり、ワースリイらはボートでピゴッティ浜の野営地に上陸した。三人は、われわれが無事に島の横断に成功したこと、船腹を上にむけてひっくりかえしてあるジェームズ・ケアード号のもとで、これ以上待機することもないことを知ると、とびあがってよろこんだ。

数日前まで、きたない浮浪者そっくりの様子で別れたひげぼうぼうのワースリイが、こんどはこざっぱりとひげを剃ってあらわれたので、彼らがワースリイを一見して判別できなかったのもむりのないことであった。彼らはワースリイを捕鯨船員の一人だと思っていたのだ。彼らの一人が、救援隊といっしょに隊員はだれもきていないのかときいたとき、ワースリイは「え！　なんですって？」とききかえした。すると、「わたしたちは隊長か、他の二人のうちどちらかが迎えにやってくると思っていた」と彼らはいうのだった。「どうかしたのか？」とワースリイはまたきいた。そのとき急に、彼らは「やあ！　わかった！」とワースリイの顔をみなおした。一年半にわたって親しくすごしていた同僚と話していることに、はっと気がついたのだった。

やがて捕鯨船の乗組員たちは、われわれのすこしばかりの残留品をボートへ移した。彼らはケアード号を曳いていって、それを捕鯨船の甲板にひきあげてから、帰航の途についた。ちょうど月曜日の夕方、彼らはストロムネス湾にもどってきた。

湾の岸辺には、基地の人たちが助けられた隊員らを迎えにでていた。人々はまた、彼らのよく知る嵐の海を八〇〇マイルも越えてきたこの古びたケアード号をみようと、専門的な関心をよせていたのだ。

わたしは当時のことを回想するとき、たしかに神の加護があったとしか考えられない。だからこそあの氷河と雪原を越えられたばかりか、エレファント島と南ジョージア島の上陸地とを遠くへだてていた時化の海をも、なんとかのりきれたのだと信じている。あの長く苦しかった三十六時間にわたる南ジョージア島横断の行進中、われわれは三人ではなく四人いたのだと、しばしば思えてくるのだった。このことについて、当時は同僚になにもうちあけなかったが、あとになってワースリイは、わたしに、「隊長、行進中にわれわれの他にもう一人いるような、不思議な感じにとらわれましたね」と語ったことがあった。クリーンもまた同じことをいっていた。理解しにくいことがらを述べようとするとき、人は、言葉というものがいかに不足し、不備なものであるかを、痛切に感じるものであるが、この探検記録もまた、われわれの心にあたえた神秘な感動をぬきにしては十分なものとはいえないだろう。

救出作業

捕鯨基地ですごした最初の夜は、まるで天国であった。クリーンとわたしは皎々と照らす電燈や、あたたかくてやわらかな寝台が二つある支配人のきれいな部屋におさまっていた。あまりに居心地のいい環境に急にかわったので、なかなか寝つけなかった。夜おそく、ボーイが紅茶とバターをたっぷり塗ったパンや菓子をはこんできた。われわれは、そうした贅沢三昧を心ゆくまで味わいながら、寝台に寝ころんでいた。

外では、われわれが基地について二時間ばかりたったころから荒れはじめた猛吹雪が、背後の山腹のあたりで猛りくるっていた。わずかの差でおそろしい吹雪の来襲をのがれ、安全な場所にたどりついたことを、心から感謝した。もしその夜山のなかにいたら、ひどい目にあったことだろう。翌朝眠りからさめると、どこもかしこも深い雪でとざされていた。

朝食後、ソレル氏はわれわれをモーター・ボートに乗せて、フスビックへつれていってくれた。戦争のことや、われわれが人間世界をはなれているあいだに起ったあらゆるできごとについて彼は語ってくれ、われわれは熱心に耳をかたむけた。われわれは死の世界から、狂気の世界にかえってきた人間であるように思えた。戦いにまきこまれた国々、勇敢な戦闘場面、想像を絶する殺人、泥沼にはまって世界的な規模にまで発展している戦争のことなど、そういう話にわれわれはだんだんなれていったが、われわれが去ってきたつめたい氷の世界とはちがって、戦争とはなんと陰惨で熱いものなのだろう！

ほぼ二カ年にわたってつづいている歴史上最大の戦争の様子をつかむのがどれほどむずかしかったか、読者はよく理解できないかもしれない。塹壕内でにらみあう軍隊、客船ルシタニア号の沈没、ナース・ケーベルの殺害、毒ガスと火焔放射器の使用、潜水艦の神出鬼没の襲撃、ガリポリ出兵、その他さまざまな戦争の話には、最初はただただ驚愕仰天するだけであった。だが、やがてわれわれは、それらのもろもろの事件を知り、戦いのおよその輪郭がわかるようになった。こうした世界情勢におけるわれわれの立場は、まったく特異なものだろう。ストロムネス捕鯨基地についたときのわれわれは、全世界を震撼させているこのできごとについてまったく無知だったのだ。こんな文明人は、どこにも存在しなかっただろう。

わたしはソレル支配人から、ロス海でのオーロラ号の災難についてはじめてきいた。ソレル氏は、この事件についてあまりよくは知らなかった。オーロラ号は暴風のため、南極のロス海に面するマクマード入江の冬営地から流れだし、長いあいだ南太平洋をただよったのちにどうにかニュージーランドについた。しかし、残った貯蔵所設置の沿岸隊についてのニュースは、なにもないということであった。ソレル氏の話では、それ以上詳細はわからなかった。のちにわたしがフォークランド諸島に渡ったとき、オーロラ号のくわしい情報をえることができた。しかしこの南ジョージア島に達している噂話から、わたしはロス海支隊を援助するためにも、ウエッデル海の残留隊員を一刻も早くエレファント島から救出することが、いっそう緊要であると考えた。

その日曜日の朝、フスビックにつくと、わたしの旧知である島の長官バーンスティン氏やほかの人々が、われわれを手厚く歓待してくれた。港には、捕鯨船《キャッチャーボート》中の最大の一隻で、イギリスの会社が所有しているサウザンスカイ号が、ちょうど冬営のため繫留されていた。ロンドンの船主に使用許可の連絡をとれば手遅れになる心配があった。長官は、わたし自身が全責任をとるということで、同船がエレファント島へ救助にむかう手はずをととのえてくれた。わたしはロイド船舶会社と、船の保険契約をした。おりから、フスビックへは探検隊の旧知であるトム船長が、自船オルウェル号で入港しており、イギリスの軍需品として使用する石油を積みこんでいた。彼はすぐ、われわれと同行じたいと申しでた。わたしは彼に、サウザンスカイ号の船長となってくれるように頼んだ。船員さがしも苦労なくすすんだ。捕鯨で働く人たちがすすんで援助の手をさしのべてくれ、その日曜日には出航準備にかかってくれたのだった。

機関の部品はいくらか船からはずして陸にあげてあったが、人々が協力して組立ててくれ、仕事はらくにすんだ。わたしは、捕鯨基地の物資のなかから、救援を待つ人々にとってとくに慰安になると思われるものをふくめて、必要な資材や食糧、装備品を買いもとめた。こうして火曜の朝までには、サウザンスカイ号の出帆準備がととのった。九時、われわれが湾から出航するや、捕鯨工場の汽笛が、低く重々しい音を長々とひびかせながら、お別れの挨拶を送ってくれた。

サウザンスカイ号でエレファント島へむかう航海は、はじめはべつに変ったこともなかった。

五月二十三日火曜の正午、われわれはストロムネス湾から外洋へでて、南西へ進路をとり、一〇ノットの快速で航走していった。船首が大きなうねりにつっこむと、砕けた波頭は白いしぶきとなって、船にかぶさるようにとびちった。船はスピードをあげて南下していったが、それにつれて気温もさがっていった。

近いうちに氷に出会うのではないかと不安だった。出航してから三日目の夜には、海はおだやかになってきた。あたりをみると、いつのまにか薄氷が張っていた。われわれの周囲の海は凍結状態で、パンケーキ型の氷盤がだんだん厚くなり、それがしだいに密着しだし、船の速度は五ノットくらいにおちてきた。その後新しい氷のなかに古い浮氷塊がまじりだしてきた。浮氷のなかをこれ以上前進することは、サウザンスカイ号にとって不可能だとわたしは思った。本船は鋼船で、その構造は波に対しては強いけれど、氷塊の打撃には耐えられないだろう。そこでわたしは船を北へもどし、金曜の夜明けにはパンケーキアイスの水域からはなれた。

　われわれは西へまわり、状況のよくなるのを待った。二十八日の朝はどんより曇って、風もすこしあった。ふたたび船首を南西に転じたが、午後三時には水平線にはっきり浮氷帯があらわれた。エレファント島からおよそ七〇マイルのところにいたが、本船ではとうてい進路をさえぎる氷のなかを通過できそうもなかった。ふたたび北西へ転進するほかなかった。翌日は島の真北にでて、ふたたび南へ進んでみた。分厚い浮氷帯が船をかこみ、突進はまったく不可能になった。

　この程度のことでゆきづまってしまうのは残念であったが、どうにもしかたがなかった。サウザンスカイ号は、普通の厚さの氷でさえ突入できなかったのである。わたしは、あの方面は強風と海流があるから、冬でもおそらく浮氷は密集しないだろうという見解をとっていた。しかし季節がおそくなっているので、氷が数カ月もひらいたままだという確信はもてなかった。

　サウザンスカイ号は、燃料として十日分の石炭しか積載できなかったが、すでに六日間航海していた。本船の現在位置はフォークランド諸島から五〇〇マイル、南ジョージア島からは約六〇〇マイルもはなれた水域にいるのだった。わたしはいつまでも氷のひらくのを待ってはいられなかった。そのため、まずフォークランド諸島にむかって、そこで、島の船かイギリスの船かどちらでもよいが、適切な船を手に入れ、それから再度エレファント島にむかうことにきめたのである。

帰航の際は、非常な悪天候に遭遇して難航したが、五月三十一日の午後はやく、われわれは、外部の世界と電信連絡のきく、フォークランド島のポートスタンレイに入港した。港務長が迎えにでてきた。投錨後わたしは上陸して、総督のダグラス・ヤング長官と面会した。彼はすぐわたしに援助をあたえてくれた。総督は島の基地支配人ハーディング氏に電話してくれたが、たいへん残念ながら、同諸島には、氷海航行に適した船はないことがわかった。その日の夕刻、わたしはイギリス皇帝宛てにはじめて、エンデュアランス号を失ったことと、その後の探検隊の冒険についての報告電報をロンドンへ打った。翌日には、皇帝からつぎの返電をうけた。

「無事フォークランド諸島につかれたことをよろこぶ。余はエレファント島に残留する同僚がすみやかに救出されんことを祈る。――キング・ジョージ」

フォークランド諸島に到着してからの日々のできごとは、くわしく述べるまでもないだろう。わたしはできるだけ早くエレファント島の隊員を救いだしたい思いで、心がいっぱいだった。いたずらに遅延すれば、同僚中のだれかの生命は、その犠牲になるかもしれないという考えが、たえず頭からはなれなかったからだ。イギリス本国からは、救援船を派遣すると電信で伝えてきたが、それもこの極南の海へ来航するまでには、はやくて数週間はかかることであろう。その間に、わたしは南アメリカの各国と無電で連絡し、救援につかえる適当な船があるかどうかたずねた。わたしたちとしては、ゆるんだ氷中を突進できる木製の船で、速度が速く、石炭も相当量積載できる船がほしかった。

世界中のあらゆるところから、祝電や好意ある電報が寄せられた。多くの土地の幾多の知人からうけた親切は、不安と緊張で苦しんでいたときだけに、ほんとうにありがたかった。

たよりにしていたイギリス海軍省の電文は、いまのところ適切な船舶がなく、十月までは救援できないだろうと伝えてきた。わたしは十月ではおそすぎると返電を打った。その後、モンテビデオのイギリス公使は、電報で、ウルグアイ政府に属するインスティテュート・デペスカ号というトロール漁船について知らせてきた。同船は堅牢な小型船で、同政府は親切にも、石炭、食糧、衣類等をのせ、エレファント島にむかうためにフォークランド諸島まで同船をさしむけるということであった。わたしはよろこんでこの申し出をうけた。そして同船は、六月十日ポートスタンレイに到着し、われわれはただちに南へむかって出航したのだった。

冬にむかう南大西洋の天候は険悪だったが、トロール船は着実に航行し、時速六ノットで南下していった。三日目の夜明け方には、エレファント島の山々を眺めるまでに近づいた。希望がわいてきた。しかし、またもや仇敵の浮氷が待ちかまえていた。そして島から二〇マイルたらずのところで、トロール船では突入できないような氷が立ちふさがり、停船してしまった。この浮氷は三日月の形をし、船の西にその角があって、北へのびていた。北東へ進み、もう一方の角につくと、浮氷帯はいっそう分厚く密集していて、それからさらに東へつづいていた。われわれは氷の裂目をみつけて、氷中へいくども突入を試みたが、氷は意外にかたく、船は浮氷のなかでむなしくきしるばかりであった。そのため、われわれは用心深く後退した。スクリューはのろのろ動き、いつそのブレードがこわれるか心配だったが、さいわいにも損傷はおこらなかった。

めざすエレファント島は右舷に横たわっていた。だがいくら船がもがいても、それに近づけそうもなかった。ウルグアイ人の機関士は、あと三日分の石炭しかないことを報告したので、わたしはやむなく帰航の命令をくださねばならなかった。島の下方の斜面は、霧のとばりにおおわれていて、おそらく海浜の野営地から見張っている人々からは、船を眺めることはできない状態だった。

イギリスの郵便汽船オリタ号が、ポートスタンレイに寄港したので、わたしは、ワースリイとクリーンといっしょに便乗し、マゼラン海峡にのぞむチリのプンタアレナスへ渡った。当地でうけた歓待は、意気銷沈していたわれわれを勇気づけるものであった。イギリス・マゼラン協会の会員たちは、好意ある援助を寄せてくれた。アラン・マクドナルド氏はエレファント島の二十二名のわが同僚の救出には、とくにたゆまぬ努力をはらってくれた人だった。彼は日夜をわかたず活動して、三日以内に会員から千五百ポンドの金額をあつめ、その資金でわれわれが使用できるように帆船エムマ号を借りてくれ、装備をととのえてくれた。同船は燃料油をつかう補助機関つきで、小型ながらすこぶる堅牢にできており、亜南極の荒海を航海するのにおあつらえむきだった。船齢は四十年もたっていたが、カシ材でつくられたスクーナー型であった。チリ政府は、同船を途中まで曳航するのに、小型汽船イエルコ号を貸してくれた。

六月二十一日の金曜の朝、われわれは島まで一〇〇マイルほどのところで、氷の帯につきあたった。わたしは昼まで待って、それから氷を抜けようとした。しかし、困ったことに機関は故障してしまい、帆だけにたよらなければならなくなった。わたしはあらゆる機会をつかんで、帆船を南へ進めようと努力したものの、いつも大浮氷帯が針路をさえぎるのだった。機関士は、いくどとなく機関を修理したが、なんとしても機関は動かず、しかも南からの常風がやんでしまった。ここで三度ひきかえすのは、まったくつらいことであった。だがこんなありさまでは島へ達する見込みもなく、われわれ自身が氷のとりこになりかねなかったので、密集した浮氷帯を脱して北へ逃げるほかなかった。そこで、われわれは針路を北にもどし、烈風に荒れくるう海を、うしろ髪をひかれる思いで、ポートスタンレイに帰ったのである。三回目の退却であった。人々の意見では、冬季の救出は不可能だということだった。しかし、本国の机上の専門家がどういう見解であろうと、エレファント島の周囲の氷が冬のあいだじゅう動くことなく張りつめていることはないだろうと、わたしは信じていた。

だが、適当な船はなかなかえられなかった。天候はいくらか好転するきざしがみえてきた。そこでわたしはチリ政府に対し、島へ到達する最後の試みに、さきの曳船イエルコ号を貸してもらえまいかと請願した。この船は鋼鉄の小型汽船で耐氷用にはつくられていず、浮氷中の航行にはまるっきりむいていない船であったが、わたしは同船を借りる条件として、氷とは接触しない約束をかわした。同政府は、こころよくいま一度の機会をあたえてくれた。八月二十五日、わたしは第四回目の救出航海に出発したのだった。こんどというこんどは、神もわれわれをいつくしんでくれるだろう。

小汽船は比較的好天にめぐまれて快走した。エレファント島に近づくと、氷がひらいていることがわかった。南からの強風で氷は一時北へ押しやられ、イエルコ号はそこへうまくすべりこむ機会をつかむことができた。船は濃霧のなかをしずかに島へ近づいていった。わたしは霧のちるのを待たず、微速で前進をつづけた。そうして八月三十日、浅い海底にのりあげ、固着しているいくつかの氷山のわきを通過した。それから、暗礁に白波がくだけているのがみえたので、われわれは島の近くにいることを推察できた。しかし、これはまったく気のもめる一瞬だった。われわれは残留隊員の冬営地を発見しなければならなかったし、霧のなかで長いあいださがす時間を、浮氷は許してくれそうもなかったからだ。だがしばらくするうち、幸運にも霧がはれた。するとエレファント島の断崖と氷河があらわれてきた。わたしは東へ船を進めた。午前十一時四十分、ワースリイの鋭い眼は、ほとんど雪に埋まってみえなくなっていた冬営地を発見した。それと同時に、海岸の人々もわれわれをみつけたようだった。雪のなかをちっぽけな黒い形の人間らしいものが、いそいで海岸に走りでて、われわれにむかってさかんに合図の手をふっているのがみえた。船は冬営地から一マイル半ほどの沖にいた。わたしはイエルコ号をさらに島に接近させ、すぐボートをおろし、半時間たらずで、クリーンや船員たちといっしょに海岸に漕ぎよせた。

高波の打ちつける岩のうえに小さな人影がみえ、それからワイルドの姿がみつかった。わたしはボートが接近したとき大声で「みなは無事か？」と叫んだ。すると、彼の「全員元気です、隊長！」という力強い答えがはねかえってきた。ついで隊員たちが万歳を三唱するのがきこえた。岩に近づいたとき、わたしはまっさきに煙草の箱を岸へ投げあげた。彼らは飢えた虎のように、とびかかった。彼らが何カ月ものあいだ煙草のことを夢み、そのことを語ってきたか、わたしは知りつくしていたのだ。彼らのうちには弱りこんでいる者が何人かいたようだ。だがワイルドは隊員たちを団結させ、隊員たちの心に希望をいだかせてきたのだった。

わたしは上陸するやいなや、ニュースをとりかわしたり、よろこびをわかちあったりするひまもなく、即刻引揚げを命じなければならなかった。ワイルドが冬営生活中に改良したという彼らのすみかをみに浜辺へいく時間も惜しかった。波浪はしだいに高くなり、いつなんどき、風向きがかわって氷がもどってくるかもしれなかったのだ。わたしはなるべく早く全隊員を乗船させ、探検隊の記録や、必要な装備なども大急ぎで積みいれた。隊員たちはとるものもとりあえず、一時間以内にイエルコ号に乗船し、われわれは全速力で逃げるように北方へ航走したのだった。幸運にも氷中の水路はまだひらいていて、無事無氷の海へでることができた。しかし南アメリカの陸岸へつくまでには、暴風あれくるう広大な大洋がのこっていた。

プンタアレナスにむかう航海中、わたしはワイルドのつもる話をきいた。そして、四カ月半にわたる苦難の日々を、隊員たちが希望をすてることなく暮してきたことに対して、わたしはあらためて感謝したのであった。イエルコ号が救助に到着したとき、エレファント島ではちょうど食糧がつきかけていた。ワイルドはとぼしい食糧の残りをできるだけ節約し、われわれがようやくみつけたあの砂の岬の小さな避難所で、失望、落胆、絶望などと懸命に闘い、克服してきたのだ。浮氷はときに島のまわりからしりぞいたが、北への水路はほとんどふさがっていた。イエルコ号はしごく運のいいときに到着したのだった。もしも二日早ければ、船は島に到達できなかっただろうし、また数時間おそければ、もうとうてい突破不可能な浮氷群にとりかこまれていただろう。

「救助船が島に近づいたときには、わたしたちは銃をうつ手はずでした」とワイルドはいった。

「氷河が割れて、そのかたまりが銃砲をうったような轟音をたてて崩壊するたびに、われわれ残留隊員たちは船がきた合図だといくども思いましたが、やがてこれらの音を人々は信用しなくなりました。実のところ、残留隊員たちはなにも銃声をきかぬうちに、イエルコ号をみることになったのです。それはちょっとやそっとでは忘れられない光景でした。われわれはちょうど『昼食だ！』とよばれて昼食をとりに集合したときで、わたしはスープを飲んでいるところでした。とくにあの日のスープはすばらしい味のもので、アザラシの背骨と、貝と、海草とを煮込んだご馳走でした。そのときマーストンの『船だ！』という叫び声をきいたのです。ある連中は、また『昼食だ！』とどなっているのだと思っていたようです。が、そのときまた、『昼食どころじゃないぞ！』というマーストンのわめき声がし、船が一マイル半ほど先にみえ、われわれを通りすぎていったのです。島では沖に船影をみたとき、発煙信号をあげることにあらかじめきめていたので、わたしはそばにあっただれかの上衣をあわててつかみ、用意の石油罐に穴をあけ、上衣に油をぶっかけて火をつけました。ところがそれはくすぶらずに焔をあげて燃えだしたのです。しかし、もうそのときにはあなたがたはわれわれを残していった場所をみつけていて、イエルコ号が冬営地近くはいってきたものですから、そんなことをする必要もなくなりましたが……」

プンタアレナスへの帰航は、喜望峰岬に近づくにしたがい、悪天候にぶつかり、小さなイエルコ号は時化の海上で闘いつづけていた。だが船内の者はかるやかな気持だった。

九月三日、マゼラン海峡にはいり、午前八時にリオセコについた。わたしは上陸し、電話でプンタアレナスの長官とわたしの知人たちに、一行が無事であることを知らせた。それから二時間後、プンタアレナスに入港し、われわれ全員は終生忘れられない歓迎をうけた。チリ政府は一行がバルパライソとサンチャゴへいけるように、ひきつづいてイエルコ号を提供してくれた。われわれは九月二十七日、同地についた。チリ鉄道省は、アンデス山脈を越えるための特別列車を仕立ててくれた。そしてわたしは、救出を心から後援してくれたウルグアイの首相と政府に、個人的な礼をのべるため、モンテビデオにむかった。その沿道の諸所では、盛大な歓待をうけた。それからブエノスアイレスへも立ちよって、ふたたびアンデス山脈を横ぎった。

わたしはこのときまでに、一行がイギリスへ帰国する手続きをとっておいた。だれもがイギリス帝国の軍務につきたいと熱望していた。

エレファント島の生活

エレファント島に残留した二十二名は、わたしが絶対の信頼をよせているワイルドのもとで指揮された。わたしの救出を待っていた四カ月半におよぶ島での残留期間に、彼らが体験した物語は、各員それぞれの日記からえたものである。さらにこまかなことは、文明社会へ帰航の途次、わたしが隊員とかわした話から、補ってまとめたものである。

彼らがまず第一に考えたことは、食べもののことではなく、避難場所を設営することであった。これは食べることよりいっそう重要なことだった。ウエッデル海の氷上で漂流中あじわった飢餓地獄、それにボートでの苦難、島に上陸してからのきびしい天候など、それらは、多くの隊員の精神と肉体のうえに、深くその痕跡をとどめていた。最後までよくがんばっていたリケンソンは、心臓病のために意気沮喪していたし、ブラックバロウとハドソンは動けなかった。全員が大なり小なり凍傷にかかっていた。六カ月間、ずっと着たままで使いっぱなしだった彼らの衣服は、もうぼろきれ同然になっていた。われわれが島のワイルド岬に上陸した日に襲ってきたすごい暴風雪は、二週間もつづいて、しばしば時速七〇マイルないし九〇マイルの大突風をともない、ときにはもっとひどい強烈な風になって吹きあれることもあった。

長いあいだよく耐えてきた天幕も、ハーレイ、ジェームズ、ハドソンの四角の天幕をのぞいて、まるでリボンのようにびりびりに破れてしまった。寝袋や衣服はびしょ濡れになり、体が気持わるいので、心もいっそう沈みがちだった。

残した二隻のボートは、船底を上にひっくりかえし、一方の端を雪のうえに立て、もう一片を高さ二フィートばかり壁がわりに積んだ岩や箱のうえにかぶせて屋根をつくり、その下で船員、幾人かの科学者、リケンソン、ブラックバロウら二人の病人などが休める仮小屋にした。風雪をしのぎ、衣服を乾かす仮小屋がどうしても必要だった。ワイルドはわたしが南ジョージア島へ発つまえに手がけていた氷の穴を急いで掘りさげた。しかし温度がすこしあがると、屋根や氷穴の側面からたえまなく溶けた水がたれてきた。それに二十二名の体温が加わると、仮小屋内の温度は氷点以上になることも多かったとみえて、乾いた場所などはなかった。そこで彼らは、ワイルドの指揮で、海岸の雪を掘りおこし、平らな大石をあつめ、高さ四フィート、幅一九フィートの石積壁をきずいた。

「われわれは事実だれもがおかしいほど弱っていた。作業はばかに骨が折れ、ふつうの健康なときの倍ほども時間がかかるのだった。ほかのときなら容易にもちあげることのでき

エレファント島残留隊員たち

伏せたボートの中で４カ月半をすごす

る石が、もちあがらなかった。ふつうは一人で運べる石も、二、三人がかりで運ぶしまつだった。それになお厄介なことに、いい石はたいてい岬の先端にあり、五〇ヤードもはなれたところから、道具なしで運んでくるのは容易なことではなかった。われわれの衰弱は、長い病気にかかったときにおこる症状とよく似ていた。

気持はしっかりしているのだが、体力的に衰えているものだから、さっぱり力がはいらなかった。

壁がしっかり完成すると、二隻のボートをひっくりかえし、その上にのせた。ボートをきっちりさせるには、いくらか時間がかかったが、われわれが希望するようなすみかにすることは、冬営生活上ほんとうに大切な問題であった。ボートをのせると、つぎはすきまにしっかりつめものをして、ロープで岩にしばりつけた。手持ちの木片を竜骨から竜骨へわたして梁のかわりにし、その上にすりきれた一張の天幕をかぶせて屋根の覆いにし、これも支え綱で岩にしっかり固定した。

側壁はマーストンが巧妙に工夫してとりつけた。まず彼は、いままでは不用になったカンバスを適当に切り、航海用長靴を細長く切りそろえて、ちょうど椅子を張るとき皮紐で縁どりするように、二隻のボートの舷側にずっと張った天幕地をとめたのだった。そして布を地面までたれさせ、その端を船の円材やオールなどの重しでとめた。

隊員はワイルドの指図で場所をきめた。よい場所をとるために喧嘩などする者はもちろんいなかったが、ボート屋根の小屋は内部が二階になっており、上の座板の部屋を大急ぎで占めようとする気配もないではなかった。それというのも、上の席のほうがやはりよかったからである。こうしてダドリイ・ドカー号のうえの座板に四人がはいり、ほかの一隻スタンコム・ウイルス号の上階には五人の船員とハッシイが住み、そのほかの者は地下すなわち一階に居住することになった」

はじめ下は雪と氷におおわれ、それが小石のあいだに凍りついていた。これをきれいにとりのけて、残りのカンバスをこの上にひろげた。こうして、狭苦しくとも、浮氷上での生活にくらべると、避難小屋は、一同にとって宮殿のように感じられ、隊はふたたび陽気さをとりもどした。だが暴風雪は、建物（?）のちょっとしたすきまをみつけて、側壁の石のあいだから吹きこんでくるのだった。寝袋の外側と衣類を壁の外部にひろげ、それに雪をのせてかたく凍らせてからは、どうやら雪の侵入を防ぐことができた。

最初のころ、炊事はすべて外の岩の風陰側でおこない、食糧箱で壁をつくって囲いにした。古い石油罐を二つストーブがわりに使った。

ある日、吹雪がことのほかはげしかったので、小屋内で炊事をしてみた。火力を強めると燃料のアザラシ脂からでる刺戟のつよい煙がもうもうと室内にたちこめ、居住者たちは煙ぜめにされた。上階の連中は燻製にされかけ、ある者は眼をやられ、雪盲に似たはげしい痛みをおこして煙盲とおなじような症状になり、ドクターの治療をうけた。これにこりてカールがビスケット箱の内側の錫箔をつかって煙突をこしらえ、それを二つのボートの中間にかぶせたカンバスの屋根をくりぬいてとりつけた。こうして立派な煙突もできあがり、煙の悩みはたちまち解消した。

　炊事の手伝いはみなが交代であたったのだが、当番は午前七時ごろにおこされ、朝食の支度をたいてい午前十時ごろまでにはととのえた。それから食糧箱をストーブのまわりにぐるりとならべる。運よく火の近くにすわった者は、衣服を乾かすことができた。みながこうした「大将の座」にすわる恩典にあずかれるように、食事時にかぎりそこにすわることがみとめられた。これは一日交代の順番でみんなにまわった。こうして結局、だれもが衣服を乾かすことができて、生活はずっと快適なものになっていった。ただ小屋内でたいへん困るのは、まったく光のないことであった。カンバスの被いは脂のすすで黒くおおわれ、そのうえ小屋の周囲は吹きだまりの雪が深く埋まっているので、なかの居住者は永遠の闇夜につつまれて暮していた。ワイルドはまずカンバスの壁を切りとって、標準時計《クロノメーター》の箱のガラスの蓋を利用してはめこみ、この障害を克服した。その後べつに三つの窓を追加したが、このときの材料は、わたしが南ジョージア島へむかうまえ、袋のなかに残しておいた写真ケースのセルロイド板だった。これで下の部屋の居住人も、どうにか本を読んだり、縫いものをしたり、かなり退屈をしのぐことができるようになった。

「このころから、われわれの読物は、詩の本二冊と、スウェーデンのノルデンショルト探検隊に関する一冊の本、一、二巻のちぎれた大英百科事典、マーストン所持の一ペンスの料理読本などであった。われわれの着ている衣服は、ほぼ十カ月間荒仕事に耐えてきたため、義理にも体裁がいいとはいえないしろものだったが、替着がないから、たえずつぎはぎをして、つくろっておかねばならなかった」

小屋の背後の湾岸に流れおちている巨大な氷河は、ある日あやうく一行の息の根をとめるところであった。というのは、数十トンもある重さの大きな氷塊が割れて猛烈な勢いで海に落下したからだ。このため大波が押しよせたのだった。その日マーストンは小屋の外で、雪に埋もれていた凍ったアザラシの肉を、昼食用にツルハシで掘っていた。そのとき「大砲を撃った」ような轟音が彼をおどろかした。みると、三〇フィートあまりのおそるべき高波のひとつが、湾を横ぎって彼のほうに襲いかかってきた。そしていまにも仮小屋もろとも居住者を海へのみこもうと、打ちよせてくるのだった。彼の知らせに、居住者たちはわれさきに外へころがりでた。だがさいわいなことに、湾内に浮ぶ氷のために、波はぐっと勢いをけずられてしまった。波は小屋のすぐ下まであがってきたが、なにも持ちさられずにすんだ。それはまさに間一髪の危機だった。もし高波にさらわれて海へ流されてしまえば、ほどこす術はなかっただろう。

彼らはボートを伏せた冬営小屋で、だんだん暗さときたならしさになれてきたとはいえ、ときどきは生活環境のひどさに気づくとみえて、そういう描写が日記にあらわれている。

「小屋は日がたつにつれて不快さをましていった。なんでもかでもすすけて黒ずんでくる。ストーブや、脂のランプ、炊事などからでるすすのよごれも、どうやら限界に達したようだ。もうこれ以上よごれないと思えば、いずれにしても気がらくというものだ。明るい光で小石の床をしらべてみれば、われわれでさえそのひどさに身の毛がよだつほどだ。寝袋のトナカイの毛がまじった油脂や、肉の小片、防寒靴につめてあるセンネングラス草や、ペンギン鳥の羽根などがごたごたと石といっしょくたになって固まっている。ときどき掃除をするのだが、小石やごみなどがやたらに凍っていて、そこに深いひびわれができたり突起になっていたりするから、新しい敷物を敷いたとしても、まずうまくはいかないだろう。これがわがなつかしの住いである」

「ボートをひっくりかえして二隻ならべた屋根裏には、なりふりかまわぬ十名の勇敢な居住者がすみついている。彼らは下の住人の頭上へ、長靴や、指なし防寒手袋や、そのほか衣類など、珍妙な古物をおとしてくる。寝袋から抜けるトナカイの毛は、夜となく昼となくたえず降ってくる。これらのもろもろが、ペンギンの羽毛や床の小石などといっしょに、ときどきシチューのなかにまじるのだ。人間はなんて環境に適応しやすい動物だろう！もし、われわれがこの小屋に長く住んでいれば、歩き方も変化して這い這いするようになるにちがいない。なぜなら、われわれの天井というのは、いちばん高いところでやっと四フィート六インチそこそこしかないので、住人はしょっちゅう腰をまげるか、四つん這いで歩かねばならなかったからだ」

「脂ぎったへんてこな衣服やぼろきれが、物干よろしくあらゆるところにたれさがり、そこを孵化器のなかの雛のように、人がごそごそ這って通る。カンバスの壁からすけてくる光は、ちょうど板すだれをおろしたようにほのぐらいものだった。われわれが不便になれるにつれて、つい先日までは毛ぎらいしていたような習慣に、とにかくしたがうようになったことはおどろくべきことだ。われわれは、フォークなどはとっくの昔になくしていた。各自が鞘つきのナイフとスプーンでまにあわせた。後者はたいてい箱の蓋からつくったものだ。

ナイフは種々の用に役立っている。それでわれわれは、アザラシやペンギンを殺し、皮をはぎ、肉を切り、脂身をこまかく燃料用に刻むのだ。ときには小屋の壁から雪をけずりおとしたりし、それからまだ脂がついているペンギンの皮で、申しわけ程度に刃をこすってから、食事にも使うのである。

われわれはもはやエスキモーのように、きたなさやよごれ、生臭さに無頓着である。われわれは十カ月前に船を去ってから、顔を洗うなどということはできなくなっていた。たとえば生活必需品の石鹸もタオルも、いまのわれわれにはなかったし、またこれらの品物があったとしても、われわれのとぼしい燃料は、飲みものにする氷をとかすのが精いっぱいで、そんな贅沢はいっさい許されないのである。もしも一人が顔を洗えば、ほかの六名は一日中水を飲まずにすごさねばならないだろう。毎日氷をなめて渇きをいやすなどということは、できることではない。これほどの低温では、そんなことをすれば唇はひびわれて、舌も腫れあがってしまうからだ。そんな日常ではあったが、われわれは元気旺盛だった」

ワイルドは、エレファント島ですごした日々の天候について、「まったく恐るべきもの」と書いている。高い山々にかこまれた狭い砂浜に上陸した彼らが、太陽をおがめるのは、ときたま空が晴れるときだけだった。

冬営地付近は高所から吹きおろす飛雪がつねにうずまいていた。エレファント島は、浮氷帯の外縁部に位置していたので、比較的あたたかな海洋をわたってきた風も、島につくころには、「霧と雪」となって島を襲うのだった。四月は、小屋をほとんどこわしてしまうのではないかと思うほど、おそろしい暴風に明け暮れた。吹きつのる突風に、センネングラス草の重いかたまりと炊事道具の箱が、そのまま空中に舞いあがって、どこかへ吹きとばされてしまうような日もあった。

一度なぞ、六名が手でおさえながら雪を払いおとしていたテントのシートが、風でとばされてしまった。これらの突風は、よく予告もなしに襲ってきたり、不意にそのきざしをみせてやってくることがあった。ハッシイは吹雪中に外で、凍りついているその日のアザラシ肉を掘っていたが、そのとき彼はひどい突風に襲われ、岬のほうへとばされた。運よく、高潮点より下の、やわらかい砂地のところで、彼はやっとツルハシを地面につきさし、強風がすぎるまで、両手で柄にすがりついてことなきをえた。

五月中旬、時速六〇～九〇マイルという強烈な雪あらしが島めがけて吹いてきた。ワイルドは、小屋のことがひどく心配になってきた。この暴風のとき、一同の注意をひいたかわった現象がおきた。それは大きさは窓ガラスほどあり、厚みは四分の一インチくらいあるかたい氷板が、風に乱舞して、まるでガラスの破片をばらまいたように、外を歩くのが危険になったことである。そのうえ、こうした南または南西の風は、きまって視界のきかない猛吹雪と、ものすごい低温をともなってやってくる。

こういう雪あらしの来襲は、島近くの浮氷群を吹きちらしていくので、そのたびに、隊員らに救出の希望をいだかせるということで、歓迎されないでもなかった。ところが、北東の風は湾内を氷でみたし、空を霧でくらくしてしまい、船の近づくのを待つ隊員たちの望みをけしてしまう失意の風であった。

わたしが探検隊の援助をもとめて南ジョージア島へ出発するやいなや、ワイルドは、予定以上に滞在が長びく場合にそなえ、全員にアザラシとペンギンをできるだけたくさんとらせた。ところが急に気温があがり、生肉の食糧を貯えるのには不向きになった。このため、貯蔵をあまりふやすことができなかったのは残念だった。

食事は、アザラシ肉と、日に一度はあたたかい飲みものがついた。最初、料理は外のストーブのうえでおこなわれた。雪と風のため、炊事係にとって食事の支度は不快きわまるものであったが、雪と風は砂と小石というおまけまでを、あらゆる食器にふりかけてくるのだった。そこで、冬のあいだ炊事の支度は小屋内でおこなわれることになった。

　あたたかい飲みものは、はじめのころは粉ミルクを正規の分量の四分の一にうすめたものだった。のちにはこれがもっと薄くなった。そしてときには、ボブリル社のソリ旅行用定量食の豆スープの包みからとかしてこしらえる飲みものがだされることもあった。冬至のお祝いは、一パイントたらずの湯に、茶匙一杯のメチルアルコールをくわえ、これにほんのすこしのジンジャー（しょうがのエキス）と砂糖をくわえて味をつけた飲みものが供されたが、これはなにかカクテルの味を思いださせるものがあった。

　朝食には、アザラシ肉の一片か、ペンギンの胸肉の半切れがでた。昼食は、一週に三日はビスケット一枚、木曜日には乾燥豆のゆでたもの、あとの二日はランプの灯用にほとんど油をしぼりとったすこしばかりのアザラシの脂肪のひとかたまり、もう一日はつくものはなにもなく、この日の朝食は、ソリ旅行用定量食の半分だけを食べた。夕食はほとんどきまってアザラシとペンギンだけで、それをこぎれいに刻み、少量のアザラシの脂で揚げたものであった。

　献立には、ときたますばらしい変化がくわえられることがあった。紐を輪にした罠をしかけてパディ――鳩に似た白い小鳥――を捕え、これをから揚げにしたものに、しけた古ビスケット一枚をそえた昼食などがあった。大麦と豆がたっぷり供されることがあったが、それがでるのはおもな祝祭日にかぎられた。

こうした環境のもとでは、考えたり話したりすることが、えてして昔たべたご馳走や帰国後のパーティーでの料理、かつて食べのこしたうまい豪華な珍味のことにおよびがちなのも、むりのないことであった。一人だけ例外がいたが、みんなは牛脂《ヘット》で揚げたある種のプディング——船乗が好む「ダッフ」をたべたがった。マクリンは、焼いたバタートーストにいり卵をのせたものをいつもなつかしがった。数名のものは、「大きなデボンシャー・ダンプリング」——ゆでだんごの一種——を好み、一方ワイルドは「大きいものなら、昔なじみのダンプリング」を希望するのだった。小麦粉や砂糖のような炭水化物や脂肪分を、彼らはほんとうにほしいと思った。マーストンは、例の一ペンスの料理読本をもっていたが、彼は新しい味を工夫するため、毎夜この本の献立をひとつ読むことにしていた。この献立はいつもみんなで熱心に論議され、その献立のいろいろな改良工夫が提案された。それから彼らは寝袋にもぐりこんで、決してかなえられることのないすばらしい料理を夢みたものだ。

ある日記に、つぎのような会話がしるしてあった。

ワイルド「ドーナッツは好きかね？」

マクイロイ「好きだとも！」
ワイルド「おやすいことだ。わたしはちょっぴりジャムを塗ったつめたいのが大好きだが」
マクイロイ「悪くはないね。だが、でっかいオムレツはどうだね？」
ワイルド「たいしたものだ！」（深くため息をつく）

「頭のうえでは二人の船員が、こま切れ肉とリンゴ汁、それにビールとチーズをまぜたものについて話しあっている。マーストンはハンモックのなかで、自分の料理本をくりかえし読んでいる。そのむこうでは、だれかが、スコットランド風のみごとなショートケーキをたたえている。数人の船員連中は、ブドウ入りのこってりした菓子や、塩肉パイや、砂糖でかためたイギリス風キャンディのことなど熱心に語りあっている。だれかがピーナッツのことをいいだすと、みんながその話にのりだし、だれもが文明世界に帰ったらすぐ一ポンドばかりそれを買って、郷里の家にひきこもり、炉辺にどっかと腰をおろして、だれにもわずらわされずにそいつをたらふく食べてみよう、ということになった。いまでもわれわれは本気でそのことを考えている！」

長いあいだよくその仕事をはたしてきた炊事係は、八月九日に担当を解かれることになった。そして一週間ずつ各自が交代で炊事作業にあたることになった。炊事係とその助手には、シチュー鍋にこびりついている残りかすをかたづけてしまう特権があったので、とくに食欲旺盛な連中が、その仕事を手に入れようと望んだのだった。

「最後のメチルアルコールを、八月十二日に飲んだ。その後は毎土曜日の夜に、お湯とジンジャーだけで、はるかなる皇帝やなつかしの恋人や妻、ケアード号で発った隊長と同僚などのために祝盃をあげた」

冬のはじめに北へ移住していったペンギンとアザラシは、まだ帰ってこなかった。ひょっとすると、六フィート近くも厚く張りつめた岬をとりまく氷が、彼女たちが島へ帰るのをさまたげているのかもしれなかった。

このため食糧は欠乏しかけていた。いちど食事につかって捨ててしまった古いアザラシの骨を掘りだし、それを海水で煮だしてみた。ペンギンの骨も、同様に料理された。浮氷が押し流されたあとに、高潮点より下方の岩のあいだにできた小池で、リンペット貝をとった。この小さい貝集めは、つめたい作業だった。どうにか食事に供するまでには、氷のようにつめたい海水へ腕までつっこんで、これらの小さな生物をとらねばならなかったからだ。

急速に減っていくアザラシとペンギンの肉の貯えを補うため、海水で煮こんだ海草を食べた。隊員中には、これをきらう者もいた。それがたいへん味のいいものだと知ってはいても、それは単に食欲を満足させるためにだけ用いられた。――ほかになにも食欲をみたすものがないときの、切実な材料だったのだ。ある隊員は日記につぎのように書きとめている。「今日は贅沢な食事だった、——各自、五オンスほどの固形物にありつけた」

この長い残留期を全員が愉快にすごし、そしてほんとうに元気な姿でもどってこられたのは、ワイルドの活動力と指導力、それに機知によるところが大きかった。二人の医師、ドクター・マクイロイとマクリンらに助けられ、彼は隊員各自の健康管理にたえず注意をはらってきたのだった。だれもがその日記のなかでワイルドをたたえている。エレファント島に漂着した冬営隊員が生存できたのは、彼の力によるところ甚大であったとわたしは信じている。彼がそばにいれば、沈みがちな心もいつしか消え、元気がわいてくる。悪魔に魅入られたようにふさぎこみ、かたくなになった心も晴れてくるのだ。

「命令」することだけに満足せず、彼はほかの者と同じように「活動」し、またしばしばそれ以上に働いた。彼はおどろくべき指導力を発揮して、彼によせたわたしの絶対的な信頼によくこたえてくれた。

上機嫌でたくみにバンジョーを弾くハッシイも、ともすれば落胆しがちな人々のくらい気分を追いはらうのに、大切な役割をはたした。彼らが急造の仮小屋におさまったとき、彼らの健康状態は上々であった。もちろん、多かれ少なかれみな衰弱していたし、なかには精神状態がかんばしくないものもいた。それに、ほとんどすべてのものが凍傷で苦しんでいた。心臓を悪くしたものもあった。漂流中ボートのなかで足の指をひどく凍傷にやられていたブラックバロウは、島にいるあいだにとうとう足の指を五本とも切断しなければならなかった。十分な医療器具や薬品もなく、適切な消毒の道具もない、脂肪燃料のストーブだけで暖をとる、暗くてきたならしい小屋のなかで――しかも外の気温は氷点下のきびしい寒さである――おこなわれたこの手術は、外科医たちの技術と処置がいかにすぐれているかを雄弁に物語るものだ。

一九一六年八月三十日は、彼らの日記のなかに「奇蹟の日」としたためてある。食糧はいよいよ欠乏してきて、残るのは二日分のアザラシとペンギンの少量の肉だけ。ほかにはこれといってなにも手にはいりそうもなかった。アザラシの骨のシチューにいっしょに煮こむため、全員が一心にリンペット貝をあつめていた。ワイルドとハーレイが昼食の支度をして、マーストンは、船があらわれそうだと予想していた方角を、いつものように見張っていた。わたしがボートでの航海にでて二週間たってから、ワイルドは、「諸君、用意したまえ、今日は隊長らがくるかもしれないぞ」といっては、毎日みずから寝袋をまいたものだった。こうして案の定、ある日、霧がはれ、彼らが四カ月あまりも待ちに待っていた船がほんとうにあらわれたのだった。

「マーストンが最初にそれに気づき、すかさず『船だ!』とどなりたてた。小屋内の居住者たちは、それを『昼食だ!』と勘違いしたので、はじめは船とは気づかなかった。だがまもなく、彼はあわてて雪のうえを息をきらしながらばたばた走り、肩で息をしながら、興奮のあまり上ずったかすれ声で、『ワイルド！　船、船がみえる、早く、早く、合図の火を燃さなければ……』と真剣に叫ぶのがきこえた。われわれはみな狭い入口へ殺到していった。おくれた隊員たちはあわてふためいて、カンバスの壁をひきさいてしまった。このはずみでリンペット貝と海草のはいった貴重なシチュー鍋は、ひっくりかえってストーブからおちた。それまでわれわれの視界をさえぎっていた島のかげをまわったとき、われわれはチリの旗をひるがえした小さな船を目撃したのだ」

「われわれはすぐ万歳を叫ぼうと思ったが、興奮していて喉から声がでなかった。マクリンは、氷丘のいちばん目につくところにかねてたてておいた旗竿のもとへ走っていった。滑車はひっぱっても動かず、旗はこちこちに凍りついていた。彼はチョッキをぬぐやいなや竿にひっかけて信号とした」

ワイルドは、残っている最後の石油罐にツルハシで穴をあけ、上衣と指なし手袋と靴下に油をそそぎ、それを岬の先端、彼らが「ペンギンが丘」とよんでいた頂きにもっていって、すぐ火をはなった。それはたちまち焔と黒煙をあげて燃えだした。

「一方、われわれのほとんど全員が海浜にあつまって、沖合はるかを動く船から、われわれに気づいたという知らせか、われわれの合図に対する応答の信号がこないものかと、心配げにみまもった。一同がたたずんで眺めていると、船はまるでわれわれに気がつかなかったかのように、知らぬげにすぎさっていくかにみえた。われわれのかぼそい叫び声は、

救助船からのボートが接近する。万歳！救われた！

きっと遠くまでとどかなかったにちがいない。しかし、再三再四われわれはあらんかぎりの声をふりしぼって叫び、必死に手をふった。

このとき急に船がとまり、ボートがおろされた。梯子をおりる隊長サー・アーネストの姿がわかった。すかさず、われわれはよろこびの万歳を叫んだ。そしてある者は、『うわあ！　ありがたい、シャクルトン隊長は健在だ』と叫んでおどりあがった。われわれ自身のことよりも、隊長の安否のほうがもっと気がかりだったのだ」

「やがてボートが近づいたとき、船首に立っていた隊長は、ワイルドに、『みな達者か？』と叫んだ。彼は、『みな無事で、達者です』と答えた。すると、『ありがたい』といいながら、シャクルトンの顔が笑いにほころぶのがみえた。隊長は上陸するまえに、手いっぱいの巻煙草と刻み煙草をほうりなげてくれた。二カ月のあいだ、煙草のかわりに、海草や、パイプの火口についた粕をていねいにけずりおとしたものや、アザラシ肉や、センネングラス草などの代用品でがまんしてきた愛煙家たちは、待望ひさしい煙草をむさぼるようにつかみとって、夢中ですいだすのだった。足指を切断し歩行のできないブラックバロウは、岩のうえに運ばれて、寝袋のなかからみていた。おかげで彼はすばらしい情景に接することができたのだ」

「やがてわれわれがボートのなかへころげこんだとき、それを笑顔で迎えていたチリの船員たちも、冬営者たちが救出されたことを、自分のことのようによろこんでいた。二度ボートがもどってきた。そして、はじめてボートをみてから一時間たらずのうちに、一九一四年十二月以来なんのつながりもなくなっていた外の世界にむかって、二十二カ月ぶりに帰るため、針路を北へとり、帰航の途についた。

われわれは、長い眠りからさめた人間のようだった。ほかの人たちは二年にわたる戦争で変化した世界を徐々にうけいれてきたのに、われわれは急激にとりいれなければならないのである。ほとんど六百日以上も極南の海と島で孤独な時間をすごしてきたのだから、知らないできごとはあまりにも多すぎた」

「われわれがはじめてとる食事では、身体が弱っていたうえに胃袋も萎縮していたから、すぐには食物をうけつけなかった。しかしわれわれもすぐに回復した。当直中の高級船員は、親切にも身体の弱っていた二人の仲間に、自分の寝台をゆずってくれた。ほかの者は、クッションと長椅子の仮の寝台であった。

その夜は、つもる話や、生還のよろこびに、だれも神経は興奮し、ほとんど眠れなかったようだ。浮氷がこわれるおそろしい音や、氷にとざされた海岸で波浪がくだけるさわがしい音や、怒号する暴風雪をきくかわりに、安楽に寝そべって、機関が伝えてくる規則正しい震動音を耳にするのは、まるで極楽であった。われわれは、これからさき、八月三十日を記念の祝日とすることにした」

わたしは、小さな船室に立って、わが救われた同僚たちが食事をとるさまをながめていたが、そのときのわたしの感慨は、読者にご想像いただけると思う。

訳者あとがき

木村義昌

極地の探検は、第二次世界大戦後いっそう大規模になり、ことに南極探検は各国とも国家的大事業として遂行されるようになった。そしてより高度の科学上の業績があげられ、すぐれた装備の機械化がみられる一方、昔日のように人々の興味をそそり、思わず血をわかすような冒険物語風な探検報告は、現在ではなくなりかけてきている。

本篇は、いまから五十数年前、最初の南極大陸横断を企てたシャクルトンが、壮途なかば船を氷にくだかれて遭難し、氷海に投げだされて孤立無援となった探検隊をひきいて、彼らを生還させた左記報告書の翻訳である。

SOUTH The Story of Shackleton's Last Expedition 1914-1917. by Sir Ernest H. Shackleton C. V. O. 1919.

使用した原著は、物資欠乏の第一次世界大戦末に出版されたもので、紙は非常に粗悪で当時の困窮を示している。原本はそうとう大部の頁数で、全訳は望みえなかった。専門的な記述とあまりに微細な内容は多少省略し、摘訳にとどめたところもあることをお断りしておく。さて、アムンセンとスコットにより一九一一年から一二年にかけて、南の極点がふまれたあとは、大陸横断旅行が大きな探検目標としてクローズアップされてきた。シャクルトンはこの課題に挑戦するため、エンデュアランス号探検を企て、これに全力を投じたのであった。

彼はその数年前、満洲産の馬にソリを曳かせて、探検史上はじめて内陸高原にふみこんだが、氷原の旅に馬は不適当で、足を折ったり底なしの氷河の割目に墜落したりして、八頭ともうしなってしまった。

シャクルトンはソリ旅行における犬の優秀さを悟り、北極犬を使わなかったことを後悔した。そこで、こんどは犬ゾリによる横断を計画し、大陸に深くはいりこんでいるウエッデル海の最奥から上陸し、極点を通って反対側のロス海のほとりにでる予定をたてた。だが、探検隊はまれにみる濃密な大浮氷にかこまれ、船は氷の重圧で沈没し、壮挙もむなしくついえさり、敗北のやむなきにいたった。

南極探検中でも類をみない波瀾をきわめたシャクルトンの探検行の記録は、数多い南極の文献中でも異色の興味ぶかい報告書となっている。

本書におさめたのは、一九一四〜一七年にわたるエンデュアランス号による横断本隊の記述で、横断本隊を援助し迎えるためのオーロラ号によるロス海支隊の記述は、紙数の関係ではぶいた。

エンデュアランス号は、一九一四年八月一日、本隊を乗せてロンドンをはなれ、最後の寄航地南ジョージア島を十二月に出帆した。大陸に接近しようと努力したが、ウエッデル海の魔の浮氷に閉鎖されてしまった。他方ロス海側から横断本隊を支援する役目の支隊は、食糧物資の貯蔵所を設けたが、不幸にもマキントシュ隊長など三名をうしなってしまった。あらゆる困苦にうちかったシャクルトンは、本隊の全員とロス海支隊の生きのこった人々を救出し、重い責任をはたした。

探検隊の所期の目的は不成功におわったものの、氷の海との文字どおりの死闘を記録に残すことになり、シャクルトン自身にとってももっともメモリアルな遠征結果をもたらすこととなった。

近年おこなわれたイギリスのフックスとヒラリーらによる大陸横断は、装備こそ近代化されているが、その計画は実にシャクルトンの遺志をそのままうけついで成功にみちびいたものであった。フックス隊は、ウエッデル海岸の発進基地をシャクルトン・ベース、その南東三八〇キロにそびえる山岳地域をシャクルトン山脈と命名した。南極大陸の横断は、イギリス長年の悲願であり、シャクルトン隊とフックス隊とは、きりはなして考えることのできない強いつながりをもってイギリス国民の脳裏に刻みこまれているのである。

また、本書にみられるシャクルトンとその同僚のかたい団結心、生死の境にあってなおうしなわれることのなかったふかい友情と信義、隊員たちの不撓不屈の精神は、イギリス国民を鼓舞し、その手記は稀有な感動の書として読みつがれているのである。

この苦難の探検については、他の隊員たちもいくつか書物を著しているが、そのなかでシャクルトン隊長はきまって「ボス」とよばれている。これは日本で慣用されている言葉といくらかちがって、親しみと敬愛をこめた「おやじ」とか「大将」「統領」とかいった意味あいの表現で、そこには心のかよった一団の人々のあたたかい絆をみることができるのである。

後日談になるが、昭和三十七年一月、東京水産大学の練習船海鷹丸が、南ジョージア島に寄航した際、学術調査団長熊凝教授、小沢船長、鯨類研究所の奈須博士らは、シャクルトンの墓をおとずれている。

また南極観測隊の村山雅美隊長の中学での語学の先生は、シャクルトン探検隊で、機械の専門家でありモーター・ソリ担当のオードリーズ隊員であったと聞いて、宿縁浅からざるものを感ずるしだいである。訳者は、本書をとおしてシャクルトンとその同僚たちの勇気と忍耐、彼らの探検魂というようなものに、いくらかふれることができたと思っている。

文庫版へのあとがき

谷口善也

シャクルトンのエンデュアランス号が、名にし負うウエッデル海の魔氷の虜となり、その後エレファント島の二十二名の残留員や、ロス海支援隊七名の救出までにいたる一大ドラマの経緯は、三名の犠牲者はだしたものの、救援船オーロラ号のニュージーランドへの帰還によって幕はおりた。

いまこの特異な探検の成果をふりかえってみるに、目的とした南極大陸の初横断は果せなかったものの、隊員一同がよくも一致団結して、探検を無事に終えたことを祝福しなければならない。それには何よりもまず隊長シャクルトンの優れたリーダーシップがあったからであった。シャクルトンは細かなことにも気配りして、隊員の統一行動の維持をはかってきた。例えばエレファント島に隊員を残して、これが救出のために自ら数名の隊員と共に一片のボートで、あの八〇〇マイルの荒海に乗りだすとき、エレファント島に残しておいてはまずいと思う隊員を敢えてボートの隊員に加えたことだ。これらの滅入りやすく、一徹な隊員を残しておいたら、残留隊員の統一がどうなることかと、シャクルトンには一抹の危惧の念があったのだ。

それにもうひとつ憂慮があった。もし自分らのボート航海が失敗したら、島の残留員を統率してディセプション島なりへ脱出しなければならない。そんな時、統率する人はワイルド以外にはないと、シャクルトンは考えた。ワイルドの人柄は勿論のこと、彼はシャクルトンの以前のニムロッド号探検（一九〇七—〇九）の隊員でもあって、その気心がよく分った友人である。ワイルドは小柄ながら常に快活で、困ったときなどはユーモアを飛ばして事を収めたものだ。

これもその時の探検の話だが、四人が一九〇九年一月九日、これまでの最南地点（南緯八八度二三分）に到達し、遂に万策つきて帰還の途についたとき、人は疲労し食糧はつきた。そして三十一日の朝食にビスケット一枚が配られた。シャクルトンは黙ってワイルドのポケットにその一枚をつっ込んだ。自分も空腹なのに、チブスに罹って腹をすかすワイルドを思ってのことだった。シャクルトンが隊員にかける愛情の例は、ほかにもあるけれどそれらは反面、彼が祖先から受けついできた忍耐心の現われであろう。

シャクルトンは、遠く祖先からの家訓である忍耐を堅持し、何か困難にぶつかったときは、即決即断でことを処理したうえに、隊員には深い愛情をもって接していたので、隊員からは「ボス」とよばれて絶対的な信頼と尊敬をうけていた。ニムロッド号のときはまだ十分とはいえなかったが、こうした人のリーダーシップこそ一言一句に重みがあり、隊の統率はまず完璧といってもよかった。エンデュアランス号の探検のような波乱にみちた探検が、まずもって大団円となったのもこの優れた隊長の存在なくしては成しえなかっただろう。

サー・アーネスト・ヘンリー・シャクルトンの祖先が、アイルランドに移住したのは十八世紀であった。これより前の祖先はイギリス、ヨークシャー州に住み、その祖先の一人は一五一三年のフロデンの戦野で、スコットランド軍と戦ったという。また十七世紀の一人の祖先は、クエーカー教徒だった。アイルランドに移ったシャクルトン家の一人は教養ある人物で、イギリスの政治家で雄弁家エドマンド・バーク（一七二九―九七）を薫陶したといわれている。シャクルトン家の家訓となった紋章、「忍耐により勝つ（Fortitudine Vincimus）」をしるすことになったのは、アイルランドへ移る前の十七世紀のころだった。

アーネストの父ヘンリーは、ヨークシャー州出の厳格なクエーカー派信者で、後には英国々教会に属して、トリニティ大学の内科医になった。母はヘンリエッタ・ギャバンといった。アーネストは一八七四年二月十五日、アイルランド、キルケア郡キルケアで生まれ、八人姉妹、一弟という多くのきょうだいの二番目の長男である。アーネスト六歳のとき、家族はいったん首都ダブリンに移ったが、四年後の一八八四年にはロンドンに転居した。

彼は当地のダルウィッチ・カレッジを卒業し、一六歳で商船員となって後には高級船員として定期船で世界周航の途次、一八九六年（明治二九）に長崎に寄港したこともあった。この頃彼は、他の若者と同様に、どこかに自らの生き甲斐のある桃源郷がないものかと考えていた。丁度そんなとき彼は、ド・ジェルラシュ率いるベルギー隊が、南極へ向うというニュースを知った。そしてこれこそ今、自分がもとめている道だと思った。しかもそこには未来に通ずる夢があり、希望のある桃源境には無限の可能性があると彼は信じた。彼が、これまでの船乗り生活をさらりと捨てて、探検家になろうと決心したのはこのときだった。そのためには科学知識も必要だとおもい、地理学会などでその研鑽につとめた。

おりからイギリスは、キャプテン・スコットによるディスカバリー号の南極探検（一九〇一—〇五）を行うことになり、アーネストは千載一遇の時機とばかりこれに応募した。彼は三等航海士として参加、彼としては初めての南極で、隊長スコット、ドクター・ウイルソンと共に最南地点（八二度一七分）の記録をたてたが、食糧不足と壊血病のため退却した。スコットはこれをアーネストの所為だとして、彼をつよく譴責し、彼の壊血病は快復に向っているものの本国への帰還を命じた。アーネストはこれに強く反対したが、聞きいれられなかった。以来彼はスコットを面白くない人物だと思ったが、彼は決して人の悪口はいわぬ性格だった。これに反してスコットは、少なくとも南極の探検では、彼を南極点一番のりの敵対者だと思ったのだ。この探検ではアーネストのプライドをかけた一つの挿話ものこっている。

一体、イギリス海軍には正規のイギリス海軍《ロイヤル・ネイビー》と、イギリス海軍予備隊《ロイヤル・ネイバル・リザーブ》とがあり、後者は民間の商船等から海軍籍に入ったもので、正規の海軍々人からは一目下にみられる傾向がある。エンデュアランス号には、シャクルトンはじめこの予備隊から隊員になっているものがある。正規の海軍からたたき上ったスコットは、こうした連中を色眼鏡でみていたかも知れないが、ある日その一隊員が不遜な行動をとり、それをスコットが詰《なじ》ったため二者間で悶着となった。たまたま居合わしたシャクルトンが、隊員を宥めすかしたが言うことをきかない。怒ったシャクルトンは、その隊員を甲板上で殴り飛ばした。いつもならこんな時は、優しく言い含めるシャクルトンであるが、これは珍らしいことだった。彼には自分も含めて、探検隊に加わっている海軍予備隊のプライドが気にかかっていたのであろう。

病気のせいで一足さきに帰国したシャクルトンは、かえって幸いだった。南極の最南地点まで行ったというので、彼は大いに歓待され、彼の探検家としての名声は一気にもりあがった。したがって次にもくろむニムロッド号の探検を進めるのには、まことに好都合であった。この時機に彼は慾をだして、名声を利用して政界に出ようとしたが、これは彼の本筋ではなかった。ニムロッド号の探検（一九〇七—〇九）では、一九〇九年一月九日、最南地点（南緯八八度二三分）に到達し、南極でははじめて低質の石炭層（推定一二億トン）を発見して、そのサンプルを持ちかえっている。また隊員がエレバス山（この時は三四七四メートルで、四〇六〇メートルとも）の初登頂や、南磁極点をも確定した（当時は南緯七二度二五分、東経一五五度一六分）。この探検の功績により彼は国王よりサーの称号をさずかり、王立地理学協会から、四人目の特別金賞をうけた。諸外国からも多くの賞をうけている。

ところで今回のエンデュアランス号の探検で、シャクルトンが余り信頼していなかった船を悪名たかいウエッデル海に止むなく凍結越冬させようとしたプランは、いかにも納得できなかった。しかし前にも述べたように、シャクルトンは稀にみる指導力で、絶望する隊員に期待をもたせ、あの人間業ではどうにも抜きさしならぬ危機を脱出した手腕は見事だった。その蔭にはエレファント島の残員を一致団結させたフランク・ワイルドのリーダーシップや、ロス海支援隊で活躍したジョイスの決死的奮闘、ならびにワースリー船長の図ぬけて秀れた航海術のあったことを忘れてはならない。

一九一七年五月にシャクルトンが帰国したとき、イギリスは大戦中のこととて南極探検のことなど口にするものはなかった。すべてが戦事一色だった。シャクルトンは直ちに陸軍省の仕事につき、はじめは南アメリカに行ったのち、陸軍少佐の位で北部ロシアで南極の体験を生かして、軍の防寒設備と輸送について指導した。このときは船長だったワースリー、他数名のもと隊員らが同道した。ワースリーはその後、アルハンゲルスクの前線に転出したが、シャクルトンらはムルマンスク方面で、南極で利用したソリや衣服、装備品などと同じ種類のものを活用して大いに活動した。

大戦も終って一九二一年、シャクルトンはクエスト号（元ノルウェー海豹船、補助機関付、一二五トン）隊員十八名で四度目の南極探検にのぼった。アフリカに面する大陸沿岸の測図と、ウエッデル海の海洋調査を目的としたが、二二年一月四日、船が南ジョージア島グリトビケン捕鯨基地についた翌日、彼は惜しくも心臓病の発作で仆れた。探検はかわってワイルドの指揮で行われたものの、船やシャクルトン自身の体調は悪く、はじめから不運の予感がないではなかった。シャクルトンは夙に読書を好み、詩情もゆたかで、古いシエイクスピア、ミルトン、テニソンやブロウニング等の詩を好んだ。クエスト号が島についた夕暮れどきの湾上に、ただ孤独の星が一つほのかに輝いていた。その夜の日記に、詩のようなその情景をしたためたのが、彼の絶筆となった。思えばあの絶海の荒波を一片のボートに生命を托して乗りこえ、なおも氷雪の山を必死に横ぎって助けをもとめた島、南ジョージアこそ、彼にとっては生涯忘れえぬ思い出の島であった。夫人のエミリーは、その夫の心情をよく汲みとって墓所をこの島にきめた。そして捕鯨者墓地の一角に墓が設えられ、岬に白い十字架が、ストロムネス湾頭に銘板がたてられた。シャクルトンが亡くなったとき、一〇歳の長男エドワードら二男一女があった。エドワードは父のあとをついで南洋や、北極エルズミア島を探検する探検家となり、のち政治家としても名をなした。

エンデュアランス号の探検から凡そ八〇有余年のいま、アメリカやヨーロッパで、特にそれらの企業家仲間のあいだで、俄かにシャクルトンが幻のように出現している。その不撓不屈のスピリット、そして大難を小難にみちびき、遂には窮地を脱したリーダーシップを人生訓や、商売の指針にしようとするのか、いずれにしろわれわれは戸迷うばかりだ。それに最近のメディアは、エンデュアランス号の探検にかかわる興味深いニュースを伝えてきた。

昨年九月にロンドンで、或るオークションがあった。シャクルトンは一九一四年出発の際、南極点に樹てる記念の旗を、アレクサンドラ女王から手渡され、目的は達しなかったが、それを肌身はなさずに持ちかえった。オークションに出されたその旗は、公共機関にはわたらず十一万数千ポンドで個人の手におちたそうである。

本書は『現代の冒険5　白い大陸に賭ける人々』（一九七〇年、文藝春秋刊）収録の「エンデュアランス号漂流」を底本に使用いたしました。文庫化にあたり写真図版を入れ替えました。